目录
Contents

金钱游戏，那个人的游戏

金钱游戏，人的游戏

康永为父买画记

游戏的通关密码，往往就在眼前……

帷幄中决胜千里外

关于艺术，J. K. 大斗阵

蔡康永自序
要玩游戏，就要知道规则

　　这本书不是讨论艺术的，这本书是讨论买艺术的人常玩的金钱游戏。说来有点伤感情，但做买卖就是要赚钱，要赚钱就是要分胜负，这是金钱游戏的本质，没得商量。不过哩，好歹总是围绕着艺术品而展开的游戏，看起来大概会优雅些吧。

　　如果你没有打算买艺术品，但想靠艺术相关的工作赚到钱，比方说，开画廊，当画商，或想办本赚钱的艺术杂志，或者想去艺术拍卖公司工作，想在画展的开幕酒会上给美女帅哥留下深刻印象，那这本书都一定帮得上忙。

　　我从来都不鼓吹贫穷，我不认为贫穷是好事。相对地，我认为正当赚钱，是值得培养的能力。即使是在各显神通的金钱游戏里，只要这个游戏的规则，是参与者都同意、都明白的，那就像本书所提醒的，在不伤害别人的前提下，我们当然可以正当地赚我们该赚的钱。如果你不认同这样的态度，那这本书就和你无关了，请不用浪费你的时间往下看。尤其是觉得艺术神圣，不可以扯到钱的人，更请你尽速丢下此书，转选其他适合你的读物。

这本书对我个人，还有个小小的意义。我这本书是和陈冠宇，也就是J. Chen合力完成的。陈冠宇这人很有意思，改变了很多我对事情的想法和做法，也促使我作了些人生的关键决定。在我写这篇序的时候，J. Chen还是单身，我希望以这本书来给他的最后单身时光留个小纪念，也祝他快快找到适合的伴侣。

这本书有两部分，第一部分，是我和陈冠宇谈买卖艺术该知道的事。这部分的摘要，曾经出现在台湾的杂志《商业周刊》，长达半年，谢谢《商业周刊》。

这本书的第二部分，是我和陈冠宇对艺术圈生态的一些看法。这部分曾经发表在《当代艺术新闻》杂志上，我要感谢逼我写下这些看法的该刊总编辑郑乃铭先生。

另外，我想把这本小书献给几个人。首先，献给常常和我一起看画展、逛画展的左治，他也常常付出找画和搬画的劳力，也常常招待深夜造访的陈冠宇，谈到了画，一定要感谢左治的。

　　我还想把这本小书献给两对夫妇，一对是陈蔼玲和蔡明忠，一对是衣淑凡和汪士弘，这两对夫妇最常在周末请我吃饭，而且他们的屋子里有很多很棒的艺术品，让我可以尽情地观赏把玩。衣淑凡甚至送我一幅常玉素描的男人，她说常玉所有的素描中，那种风格的只有两幅而已。这真的很珍贵。但更珍贵的，是这两对夫妇的友谊，对我来说是生活上无比重要的支持。

　　买画确实很好玩，但说来有趣：真正好玩的是，有无数的画是我这辈子都买不起，也买不到的。所有无法到手的东西，都让我们抱着更多的热情和向往，活下去。

K. Cai

陈冠宇自序
别让陷阱降低你买卖艺术的乐趣

我从金融业转战网络游戏产业，再跨足当代艺术圈。作为一个收藏艺术十多年的买家和一个开画廊才四年的菜鸟，对于当代艺术的收藏与投资，我有很多主观的看法。

偶然间与蔡康永先生聊到艺术市场的种种陷阱与乱象，于是有了一起写这本书与众人分享的想法。这本书对我而言，与其说成是教人如何买画、投资艺术赚钱的工具书，不如把它看成是一本协助你如何避开艺术交易圈种种黑暗现象的提醒。

我经常跟人说，艺术的欣赏与收藏很有乐趣，但是艺术的投资却得极度的小心与谨慎。不少拍卖公司、画廊、媒体一直在片面地鼓吹艺术投资的高回报率，我却认为绝大部分的人都不应该做艺术投资，种种原因本书中都有详尽说明。

虽然如此，欣赏艺术却是人生一大乐事。看艺术、听艺术、买艺术可以让你交到很多朋友。我在开画廊的过程中认识了很多好朋友。有很多高官巨贾，很多文人雅士，也有很多对艺术充满热情和幻想的年轻朋友。这些新朋友丰富了我的人生阅历，也开启了我很多知识和思想之门。读者们如果因为这本书开启了你的艺术之窗，我相信你也会有跟我一样的收获。

这本书的完成首先要感谢蔡康永先生。如果没有他的共同参与，我的文字及论点将会是极度无趣且乏味的分析师报告。商周李郁怡小姐花了好几个月的时间陪着我们讨论相关的内容，希望她不会感到太无聊。《当代艺术新闻》郑乃铭先生从我入行开始就常常提点我艺术产业的种种生态，很直接地加快了我的学习曲线，非常非常地感激他的热情与耐心。Gallery J. Chen画廊的工作人员，各地的艺术同业，一直支持和信任我的收藏家们，都在我投入艺术产业的几年中给我很多力量，感激！

如果你看了这本书之后，你的行程开始出现逛画廊、参观美术馆、看艺术书籍及杂志、买画收藏这些项目，那我可真会感到很开心。如果你原来有计划投资艺术品，看了此书后却因而却步了，我也开心，因为你接收了我们提醒你的信息，再想想，多思考，反正市场永远都在，准备好了再投资永远不嫌迟。如果你看了这本书，觉得一点道理都没有，那也要记得将这本书拿去recycle，做环保，人人都有责任嘛！

写在前面
"这是个麻烦的游戏哦！"

一、艺术界除了有艺术家以外，必须有美术馆、策展人、画廊、拍卖公司、艺术杂志、艺术记者、艺术学者、艺评人、收藏者和投资者，才有可能构成活泼多变的艺术市场。这些人都是这个艺术舞台上的要角，在我们的经验里，这些人有不少是专业且正直的人，其中有些也是很可爱或可敬的人。但是写这本书本来就是为了提醒大家某些该小心的地方，所以如果看书时觉得和艺术市场相关的人，好像都很有心机的样子，那完全是错觉。毕竟我们写书不能只写"一切都美好而没有陷阱"，那样这本书就只剩一句话了，书可能会太薄。

二、不论书里讲了多少个因为买画而赚到钱的故事，我们都不想任性地鼓吹"买画可以赚钱"这个想法。如果你有其他稳当的生财之道，那就请你把买画当兴趣就好，顺便把读这本书也当做兴趣就好。

买画，也许是有人赚到钱，但真的太费事了。不信的话，你看这本书就知道了。

金钱游戏，那个人的游戏

◎这本书不是讨论艺术的，这本书是讨论买艺术的人常玩的金钱游戏。说来有点伤感情，但做买卖就是要赚钱，要赚钱就是要分胜负，这是金钱游戏的本质，没得商量。不过哩，好歹总是围绕着艺术品而展开的游戏，看起来大概会优雅些吧。

金钱游戏，人的游戏

康永为父买画记

电视剧《潜伏》，以及电影《建国大业》里面，出现一位知名的将军顾祝同，是曾经参与抗日战争的著名将领，而他的儿子顾福生①则是一位画家，当过名作家三毛小时候的画画老师。顾福生长期住在美国，台湾比较少人认识他。多年前，他第一次回台湾开画展，虽然当时顾福生不算特别有名，可是他父亲顾将军的人脉广，党政军朋友多到不行，所有顾将军的朋友，为了做人情捧人场，全部都拥进画展去，连顾福生自己都觉得是意外的盛况。

这一群人，很多是平常陪顾将军打麻将、吃饭，而从来没有逛过现代画展的人。画展的

① 顾福生（1935— ），知名油画家。除油画外，亦有版画、彩墨等作品。

开幕典礼，几十个这样的人急急冲进去，匆匆买下他们可能看不懂，也可能是他们买过的唯一一幅现代画。

匆忙抢一幅，好向老爸交差

我记得很清楚，我爸当时正在跟顾将军打麻将，把我叫到一边小声交代说："你赶快去画展现场买幅画，给顾家哥哥捧场。"那是我第一次走进卖现代画的画廊。我当时是初中生，不知道画廊是怎么回事，功课也很忙，只想赶快买完走人。到了现场目睹人头攒动，每一幅画都贴了红点（贴红点代表已经有人买了），心想"完蛋"！担心一幅都买不到。终于，给我在角落找到一张版画，我觉得很好看，也还没有贴上红点，我就抓住老板说："我就要这张，赶快帮我贴！"他一贴好，我才松了口气！

我第一次自己做主买画是这么奇怪的经验，多年后重遇那个画廊老板，她跟我说，那一次真的是画都不够卖！后来只好把顾福生本来没打算卖的作品，包括素描、水彩都拿出来卖，才

❶ 傅抱石（1904—1965），中国画家，"新山水画"派代表人物。善用浓墨、渲染等法，把水、墨、彩融为一体，达到箫郁淋漓、气势磅礴的效果。

❷ 张大千（1899—1983），中国画家。擅长水墨画，为中国近代国画的代表人物。

❸ 张晓刚（1958—　），"中国当代画坛F4"之一。著名作品是以"文革"时期为背景的肖像画系列。

❹ 赵能智（1968—　），中国当代油画家。著名作品为画有迷幻鬼魅般人脸的"表情"系列。

❺ 常玉（1900—1966），中国现代画家。曾居住法国八年，作品擅长描绘线条并善用留白，常以人体、动物、盆景为题材。

> 其实人花钱买东西，如果有增值，就应该
> 要偷笑了。

应付完顾将军这些好友的抢购。那次展览造成顾福生的画，奇妙地散布到很多向来只挂中国水墨的人家里去；从此顾福生画的无头人或裸男，常伴傅抱石①或张大千②的美女。

第一次花自己的钱买画，买了幅像鬼的小孩

我生平第一次花自己的钱买艺术品，则是在十几年前。有一次我为了看张晓刚③的画，循广告找到台北的汉雅轩画廊，可是不巧张晓刚的画都已经被买光。画廊改展四川画家赵能智④的展览，我看中了其中一幅，没想到那一幅又已被一个香港医生订下了。我心想，既然无缘，就算了。

没想到，第二年那张赵能智就出现在苏富比的拍卖会上，我就跑去买了，大概是以约四万元人民币买下。拍卖结束后，我碰到电视圈名制作人犕宏顺，他是很有实力的收藏家，收有常玉⑤、明朝家具，当时他跟我说："你买的那张赵能智，我本来也想买的。"我说："还好你没有跟我抢，不然你一举牌出价，我是争不过你了。"他说："那幅赵能智前面，是一幅竞争激烈的常玉，全场情绪沸腾，惊魂未定，一个闪神我就错过赵能智了。"

后来拍卖公司的人开玩笑说，他们以后会专门去为我找画面是长得像鬼的小孩的油画，因为那张赵能智画的就是个虽然极有味道，但气场非常鬼魅的小孩。事实上，当代艺术里，气氛诡异阴森的杰出作品，多

到不行，但这张赵能智我还真的没有勇气挂出来过。有一次停电，家里点了蜡烛，我从箱子里把这幅赵能智拿出来观赏了十分钟，觉得黑暗力量源源扑来，就赶快把画再塞回箱子里收好。

到现在，赵能智的画价已增长超过了十倍，但他绝不是增值最高的艺术家，其他的画家，增值百倍的都有。其实人花钱买东西，如果有增值，就应该要偷笑了，何况当时我买画只凭喜恶，既不做功课，也不当是投资。华人圈把买当代艺术当成投资方式，是很多年以后才流行起来的。

❶ 蔡国强（1957— ），当代艺术家。20世纪80年代中期开始使用火药创作作品，他的艺术创作对西方艺术界产生了巨大冲击力，西方媒体称之为"蔡国强旋风"。

游戏的通关密码，往往就在眼前……

2009年4月，新闻上出现马英九先生的女儿马唯中回台的消息，同则新闻中，蔡国强①的名字也被提到了。对大多数对艺术无感的人来说，蔡国强是哪一号人物？是马唯中的老师，还是同事？当年台湾并没有太多人追问。其实他是马唯中那时的老板，也是享誉国际的艺术家。

新闻报道里的人，不只是马英九千金的老板

很多人认为自己是艺术门外汉，不知道该怎么接触艺术，但有时候，电视新闻就会像这样捕捉到一般人以为很遥远的人物，送到我们面前。如果有心去追求艺术知识的人，只要简单上网搜寻一下，就会发现蔡国强不只是马先生千金的老板而已，他同时是多次担任两岸最盛大典礼的烟火总设计。

早在2004年，蔡国强就去金门策划了金门碉堡艺术馆活动，将废

弃碉堡变成了艺术展场。

想了解蔡国强与他的作品，真的不难，他不像毕加索①或是波普艺术大师安迪·沃霍尔②，这些大师对多数台湾人来说，可能真的有点远，起码要买本书来看看。但是，蔡国强的很多作品就发生在我们生活的地方，你只要再把手伸出一点，就能摸得到。

如果有了求知欲，知道了蔡国强是谁，接着会发现，为什么蔡国强的作品会这么受推崇，否则创立云门舞集的林怀民不会请他合作，2008年北京奥运不会找他设计烟火，甚至马英九的女儿也不会很向往地为他工作。如果这些信息都告诉我们：蔡国强是一个很有地位的艺术家，那你就得到了一个你原来没有的艺术知识，可以当做买卖艺术的参考。

Google一下，
陌生名字变成投资机会

下一步，你会想知道蔡国强在市场上的表现如何，例如，到Google去搜寻。搜寻也是有技巧的，当你搜寻的关键词是"蔡国强"，会出现无数条结果，根本看都看不完；但若输入的是"蔡国强"，空一格，加上"人民币"，结果就会跑出一些比较明确的新闻，告诉你蔡国强的艺术品卖了多少人民币。这时候新闻里的名字就跟投资连起来了，蔡国强就从一位本来和你生活不相关的艺术家，成为一个可以买卖的项目。

蔡国强的作品有要价一百万美金的，也有人民币九万元的。一百万美金看起来遥不可及，但人民币九万元算是比较友善；也就是说，如果忍住不买其他同等价格的奢侈品，例如名牌包，那么就有资金可考虑买蔡国强。

这两种价格的作品，差别在哪里？一百万美金的作品是尺寸约有一整面墙的作品，例如蔡国强为响应台湾救助"9·21"震灾的慈善义卖，而用爆破创作的震波图。至于人民币九万元的作品是什么呢？可能是2005年我跟蔡国强一起做的，把两张旧的废钞炸出洞的小件作品。

大师作品，用破盘价上购物频道叫卖

蔡国强曾找我合作一件叫做"交易"的计划。我们找到一批曾发行但早已作废的旧钞（一般称这批旧钞为金圆券），放在屏风上爆破，然后每两张为一组裱成框，共做成六十六组，作品名称是《招财平安符》。这个现在增值到人民币九万元的小作品，当初是在台湾的电视购物频道推出，当场只卖人民币两万多元，而且还可以分六期付款，买画的人都知道，用信用卡分期付款，在购买艺术品上，是非常罕见的事。

蔡国强和我，当时有一项共识，要把艺术品送上最"世俗"的渠道，例如电视购物频道。从来没有当代艺术家，尤其像蔡国强这样的大师，敢为自己的作品标上比自身市场行情低这么多的促销价格，而且叫卖时段活生生是穿插在购物频道卖运动器材、计算机、内衣跟减肥药时段的中间。我们选择很世俗的销售渠道，原因很简单，我跟蔡国强说，我要让一般上班族负担得起。同时要测试，从来都不甩当代艺术的人，会不会忽然在买计算机跟买内衣的时候，因为看见蔡康永跟蔡国强两个人在电视上大声疾呼"你应该买"，而被打动并考虑："我其实也可以买这个！"

很遗憾的是，后来敢买的人都是内行人。我知道有买家精明到带着全家六口一起打电话进购物台，就怕买不到或买少了。因为我们规定一个人只能买一件，那位买家就准备好，从六十六件中抢到六件。

一年内涨五倍，你惊奇吗？

我们原本想把艺术品送到从来不在乎当代艺术的人面前，看看他们动不动心，可是最后还是内行人夺得了先机。这也表示，内行人的相关知识与信息抢先一步，才能拦截得这么成功。

艺术品不像钻石或黄金，会有权威机构开出证明它的成色的等级文件，我和蔡国强炸的废钞，当然也没人有把握未来能涨到哪里去。到目前涨了五倍，算是一个艺术市场上有趣的案例。

宝物出现，也需要你有识得宝物的眼

现在才读到这则涨价新闻的人，可能会捶胸顿足，懊恼自己当初没有在售价人民币两万元时打电话进去买，这就是他们错过知识与信息的后果。蔡国强在新闻媒体上掀起一片报道，你不去求知，是初次错过建立知识的机会。而下次什么时候，会有人把蔡国强这个钞票作品再拿出来卖呢？不留意也会错过这个信息。既缺乏知识，又缺乏信息，就不容易在这场金钱游戏中有收获。

蔡国强是一位已经被列入当代艺术史的人，他的大名已经在不少艺术系教材上了。你去亚马逊书店买当代艺术的书，也会买到几本是采用蔡国强的作品当封面的，这些知识越连越广，你跨出第一步，就会有第二步、第三步。

比方说，六十六组钞票被爆破之时，铺在底下承接火药烧痕的四联屏风，以及这整个完整的创作计划中，其实另外还包括我和蔡国强上电视购物台的光盘、客服人员和顾客的对话录音记录与设计草图，在2009年6月的罗芙奥（拍卖公司）春季拍卖会时，也整套被当初购藏的人拿出来拍卖，估价是大约人民币四百万元。这样的价格，我也买不起，但就算买不起，如果当时你走进拍卖的现场当个观众，你会看到这一大套作品被某个人举牌出价买走，亲眼看看一个本来在各报娱乐版有报道，接着出现在购物台，接着在美术馆展出，接着在拍卖会成交的艺术品买卖过程。

你认识蔡国强的时候，建立了知识的第一步，进而知道了本来没机会去的美术馆和拍卖会，这个过程示范了艺术并不是太遥远的事。从此你的信息会慢慢累积，下一次如果有人把我和蔡国强炸的钞票拿出来卖，起码你会保持兴趣和关注，然后你可能会发现："这次落槌价是人民币七万吗？那就比九万的市场价要便宜了。"吸收知识跟信息，是艺术投资好的开始。

只知其一不知其二，照样摔一跤

不过，信息也需要被判断。陈冠宇跟我说，有一位画商，得到一个尚未公开的业内消息，先知道了某位知名旅美画家，即将要跟全球最大的画廊之一签约开展，所以这位画商倾尽家产，在消息公布之前大举买入这位画家的画。不料，却遇到全球金融风暴，而那个世界级大画廊也受到金融风暴的影响，暂时收手，就没有在市场上维护这位画家的画价，任由他的画作低价成交或在拍卖会流拍。导致这个原来想搭顺风车的画商，手中所有高价买入的画，在这个时候通通卖不掉了，他现金周转困难，严重影响到事业。

陈冠宇说，这个例子就是画商虽先得到了信息，却没有考虑其他陷阱。他疏忽了两件事：第一，他得到信息之后，没有预防艺术市场会随着经济环境而下滑。当时已经嗅得到金融风暴的开端，面对那样的大环境，最好要知道，不适合把现金重押在某种不容易变现的资产上。一个好艺术家的作品，在某个时间点买进，可能会买到这位画家的市场最高价，可能要放上十年，才有办法解套。如果画商只用部分资金去投资，就只会套牢一部分，不会让自己的事业受到太严重的影响。第二，这位画商没有去了解那家国际级大画廊，对于旗下签约艺术家的经营态度，原来这么顶级的画廊也未必会拼老本去维护价格的。

这位画商人脉够，又掌握到独家信息，本该赚到钱，但做法比较冲，作出超过自己能负担的投资，提早在这场游戏中出局。不过呢，只要是够好的画，挺过难关，依然是值钱的。

来自陈冠宇的提醒
投资艺术品，像投资好股票

投资艺术品要做的功课比较多，比如一个能引发你的好奇心的新闻事件，就是信息，就像投资股票的消息面。

消息面能触发你去做研究调查、去深入了解，进而累积到更多知识，而知识就是基本面。例如去弄懂蔡国强使用火药爆破的意义。火药爆破象征着中国的重大发明——火药与造纸，代表着中国人将传统发明应用在当代艺术上，然后带到西方去。再者，你会发现蔡国强的艺术经纪公司，是台湾知名的诚品画廊，诚品画廊在台湾的艺术家代理与展览经验，都有很好的口碑，这就会加强你对这位艺术家在市场表现上的期待。

最重要的当然还是蔡国强的学术地位，他参加过全世界最重要的艺术双年展——威尼斯双年展，得到最大奖；他的作品在全世界最重要的美术馆展出或收藏，像是纽约古根海姆美术馆（The Guggenheim Museum）、MOMA现代艺术美术馆（The Museum of Modern Art）、伦敦泰特现代美术馆（Tate Modern），重要展览洋洋洒洒。你随着他展览的足迹，也就进一步去了解到，威尼斯双年展和上述美术馆在全球艺术界的江湖地位，知道他被多少艺术媒体与艺术界人士推崇，也就会意识到这位华人当代艺术家的基本面有多扎实。就好像是买股票时，你会去分析台积电晶圆代工的全球市占率、制程技术的先进程度、主要客户等。

买艺术品的人有不同心态，有人是买来收藏的，有人是买来赚钱的。严肃的收藏家会希望买到在艺术史上有地位的艺术家，有关键意义的艺术品。投资人则会希望买到以后会涨价的艺术品。除了买卖的技术面、筹码、炒作之外，基本面的支撑仍然是重要关键。了解完蔡国强的消息面与基本面，收藏家们会说他是一个值得收藏的艺术家，投资人则会说他是个"BUY"，也就是一项值得投资的对象。

对于一个投资人，消息面和基本面是有对应关系的，而讲到价钱波动，还有更进一步的筹码面、技术面，这些因素在投资行为里都同时互相影响，有心学习艺术投资的人，这是入门的第一步。

这场游戏中，
别人会用的"欺敌"武器

有一次我在拍卖会看中一幅庞熏琹①画少数民族的肖像画，我觉得这幅画很漂亮，价格也不是太贵，我准备好要买。不过，就在拍卖开始前约五分钟，一位朋友经过我身边，他问我："你看中哪件？"我说："我考虑买那张庞熏琹。"他随口说："哦，听说那张是假的。"然后再聊两句，我们各自入座，拍卖就开始了。

拍卖开始后，工作人员开始忙，我没有机会去找专家询问画的真假，我想："既然有人说是假的，那就不要买了，把钱留着买别的吧。"对我这样一个不够专业的业余者来说，何必买一个不确定真假的作品？就像美女虽美，但忽

① 庞熏琹(1906—1985)，中国艺术家。留法习画归国后投入美术教学，擅长油画，作品富有中国传统文化特色。

然被抹了一脸大便一样，虽然洗完脸依旧美丽，但终究扫兴，于是我就放弃了。

"放毒"说是假画，有心人低价得标

那天大概只有三个人在竞争那幅画而已，场面颇冷清，并不符合庞熏琹当时的人气。因为竞争者很少，得标者用偏低的价格就买到了。等到拍卖结束，我去问拍卖公司的专家："听说是假的？"他回答："怎么可能是假的？"还把来源清楚地告诉我，并表示："这幅应该就是画家这个系列最好的一张，竟然这么便宜就卖掉了！"我这才知道，有人"放毒"。

所谓"放毒"，就是有心人故意散播谣言，手法挺简单的，他只要说"这画是假的"，听的人心里肯定会有疙瘩，宁愿不要碰，除非很有把握的人。于是，愿意出价的竞争者变少，低价买到的人就算赚到啦，而谁是那个一开始放毒的人？应该就是志在必得的那位。不过"放毒"是双刃剑，这画从此带了一层阴影，也许要过一段时间才恢复清白，再卖得好价钱。也可能从此这画就不受市场青睐了。

陈冠宇提醒我，被假消息误导的情况很多。前两年有一个成名不久的年轻画家，他的行情由有心人通过拍卖炒作出很高的价，画廊卖价也就随着拍卖的表面成交价格一路往上调，作品在两年之内就涨了十五到二十倍。

成功做出行情之后，炒作者感觉炒过头了，恐怕难以持续，决定在最高点将手边的存货出清，获利了结。于是，炒作者为吸引买家，又放出一个消息，说画家即将受邀去欧洲参加一个非常重要的展览，如果有眼光好的买家买到了被欧洲人挑中的必须送去欧洲展出的画，到时候买家们务必同意把买到的画借出去参展。

拨开"彩色烟雾"，
值多少就付多少

这当然又是炒作者丢出的"诱饵"。通常画作被挑中去参加重要展览，表示这是一件很重要的作品，受到了国际重要的展览机构认可，想当然这样的画会引起买家的抢购意愿。果然炒作者放话之后的最后这一波拍卖，创下了这位年轻画家的天价。后来这位艺术家真的有受邀去欧洲参展，但那些号称会被欧洲借去展的画作，最终根本没有被借去。买到的人，吞了炒作者的诱饵，当了花钱捧场的冤大头，也只能认了。

陈冠宇的建议是，当你没办法判断信息的

❶ 草间弥生（1929— ），日本当代艺术家。作品类型包括绘画、雕塑、装置艺术，重复的圆点图案为其著名创作特色。

真假，身为投资人或收藏家的你，就要冷静地判断："这个画家、这种尺寸、这种质量的作品，到底应该值多少钱？"而不是因为一个信息就去盲目追高。

还有一些信息是我们说的"彩色烟雾"，也就是卖画者的促销技巧。例如，可能你看到某张画的时候，画商告诉你，这位画家即将在巴黎出全集，这张画也会收到全集里。你听到后可能会想，太好了，他的代表作品会收到画家的全集里面，于是花了大钱把这画买下。最后那张画确实是收进全集里了，画商没有骗你，只不过印得比你的指甲还小而已。

这些信息，当做装饰品就好。回到你自己的原则，把花花草草都拿掉之后，依然还是很喜欢这件作品时，再决定购买。

画作像葡萄酒，也要挑年份

要避免被信息误导，知识就很重要。比如说，你是一个刚入门的人，在东京的艺术博览会上看到一张草间弥生①的作品，色彩丰富、漂亮又大张，草间弥生明明就是日本首屈一指的当代艺术家，但是这件作品定价却很低，为什么？如果陈冠宇正好坐在你旁边，你问他这个问题，他可能会告诉你，价格低，是因为画作上标示的年份不够好。

葡萄酒有年份，画作也有年份，这也是知识。画作的年份不够好是什么意思？因为那幅画可能是由草间弥生的工作室助手协助创作，跟某个年份之前完全由她自己亲笔画的作品相比，就会被认为没那么珍贵。

❶村上隆（1962—），日本当代艺术家。常以浮世绘、动漫为题材，为Louis Vuitton设计包包而知名度大开，目前经营艺术经纪公司Kaikai Kiki。

❷米开朗琪罗（Michelangelo Buonarroti，1475—1564），意大利文艺复兴时期伟大的绘画家、雕塑家、建筑师和诗人，文艺复兴时期雕塑艺术最高峰的代表。

❸莫奈（Claude Monet，1840—1926），法国画家，印象派代表人物和创始人之一。莫奈擅长光与影的实验与表现技法。

❹凡·高（Vincent van Gogh，1853—1890），荷兰后印象派画家。他是表现主义的先驱，并深深影响了20世纪艺术，尤其是野兽派与德国表现主义。

❺高更（Paul Gauguin，1848—1903），法国后印象派画家、雕塑家、陶艺家及版画家。他的画作充满大胆的色彩，在技法上采用色彩平涂，注重和谐而不强调对比。

画面类似的草间弥生油画，去年卖三百万，今年，同样尺寸的却只卖两百四十万元，不是她的作品跌价了，而是因为今年卖的这幅是助手画的，是studio work，由草间弥生工作室完成的，和画家完全亲笔创作有差别。

亲手创作或工作室创作，各有所好

不过老实说，对一般买画的人来讲，同样都是草间弥生，要炫耀品位的话，家里挂一张彩色的草间弥生大南瓜，够有面子了，也绝对不会有不上道的客人上前检查说："年份不够好喔，是助手帮忙画的。"

说到工作室生产制，陈冠宇要强调：日本知名艺术家村上隆①成名之后的作品，也是采用工作室的生产模式做出来的。如果你买村上隆的画或雕塑，所附的证书上，会有艺术家村上隆的名字，同时也会看到参与制作的团队名字，例如谁画的底色、谁负责计算机绘图等。村上隆就像是电影导演，会把

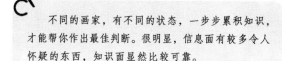

不同的画家，有不同的状态，一步步累积知识，才能帮你作出最佳判断。很明显，信息面有较多令人怀疑的东西，知识面显然比较可靠。

演员、美术指导、摄影、灯光等工作人员的名单通通列上去，摆明了就是studio work，因为他要卖的是"用脑"的艺术，而不是"用手"的艺术，其实在文艺复兴时期，米开朗琪罗② 等大师，都是采用工作室生产制的，并不是什么新的做法。只要能呈现大师的美感与创造力，不见得每个环节都要大师亲自动手。

当代艺术，讲究理念而未必是技法

有些大画家，他们作画的方法就是他们的成就，如莫奈③、凡·高④、高更⑤ 或毕加索，他们运用不同的绘画形式，代表着各种画派，那是美术时代。画作的灵魂所在，就在于画家运用的技法。

但是，当代艺术作品则追求理念的传达，它的灵魂不在于技法，也不会局限由作者个人独自完成。例如蔡国强的爆破创作，他画好草图之后，要铺上几十米长的纸头，要排火药，还要用石头固定火药线，这些不可能都是他亲手执行，会由助理帮忙陈设，然后再由他点火。

爆破之后，助手们要拿着湿布冲上去扑灭。扑灭的时机，会决定烧出多大的洞，可能扑灭时慢个五秒钟，就烧出大一点的洞，这时蔡国强会不会拿着尺测量说："嘿！这个洞本来只要三厘米，却烧成五厘米，不行，重来！"不会的，因为当代艺术的灵魂，传达的是创作者要表达的概念，如果说这件作品是想用翻滚的几辆汽车，来探索恐怖攻击中用毁灭完成的心灵追求，那么这个想法就是作品的灵魂所在，技法的细节则因艺术家的风格而有不同的安排。

不同的画家，有不同的状态，一步步累积知识，才能帮你作出最佳判断。很明显，信息面有较多令人怀疑的东西，知识面显然比较可靠。

 班克斯（Banksy，1974— ），英国街头艺术家。作品为反战题材，极尽嘲讽之能事。他的画板不拘一格，可以是街道角落的墙壁，可以是汽车车身、公园的长凳，还可以是动物的身体。

买艺术品的最基本知识，就是艺术家的简历，包括出生年代、学历、展览经历、签约画廊或经纪人是谁……艺术家的背景决定了一个很根本的东西，也就是他是不是处在理想的状态里，如果在不理想的状态，有些艺术家怎么样都不会成功的。

当然，也有极端例外的情形，像由街头涂鸦崛起的班克斯①就非常神秘，连长相年纪都很少有人知道，但却完全无碍于他跻身世界顶级艺术家。

你不可能研究全世界所有的艺术家，如同买股票你不需要研究所有上市公司一样，而是选择你喜爱的风格，挑其中几位艺术家，作为你学习知识的开始。

对一般艺术入门者来说，如果讲到日本艺术家，就会想到草间弥生，因为她是big name，你知道她有画南瓜、圆点，接下来，你会更深入去了解她的生平、她的作品与行情，就像证券分析师，即使没有好好做功课，也会知道台积电是全球最大的晶圆代工厂，但是一定要进一步研究，才会知道它产品的特色、主要客户，进而判断是否值得持有。从大名头的对象开始，对有些人来说，也许不够特别，但比较有保障。

资金的累积，也要同步进行。比方说，你买画的预算是十五万元，但你的月薪是三万元，于是你可以慢慢存，等你存到十五万的时候，就可以出手买了。假设你花了两年的时间存到这十五万元，那么你也能花两年的时间同步累积知识。并不是今天读完一本书，看完一场展览，就可以拥有足够的知识。艺术投资跟所有投资一样，没有一步登天的。除非你是巨富，又有识人之明，请到对的顾问，那当然你就省去自己做功课的心力了。

说起来，一万元，可以买到草间弥生或村上隆的限量签名版画呢！

玩游戏，钱要花在刀口上

我做过的节目里，听过某些小女生说，生日的时候，男朋友会送人民币一万元的包包当礼物。说起来，一万元，可以买到草间弥生或村上隆的限量签名版画呢！

买名牌包或买画，差别在哪里？如果硬要说这些都算是非理性的投资，那差别大概是车子、包包、手表、衣服可以上街去炫耀，而画不能扛出家门上街罢了。

艺术品为什么让我着迷？我必须说，有些艺术家能够带来力量，他们不但透过作品给你力量，也透过他们的人生各种作为给你力量。我读村上隆那本《艺术创业论》，产生了很强烈的情感，因为可以感受到从传统艺术出身的他，必须要向整个日本传统艺术圈宣战的那种孤军奋斗的心情。他从一个趁便利商店打烊后，去向店员要过期食物来吃的受困艺术家，变成今天扬名国际的艺术大师，这段过程有够热血呀！

曾有过某件艺术品打动你的心灵吗？

艺术有很多种形式，我鼓励大家享受自己跟艺术品的个人私密关系，不一定要像那些卢浮宫里面的疲惫观光客一样，走到腿快断掉，小孩还在旁边哭，这种状况下想要站在《蒙娜丽莎的微笑》前面受到感动，几乎是不可能的事。

有时候在家里我会熄灯，点上蜡烛来看画，回到一个古老气氛中去跟艺术接触。我常想起电影《英国病人》（ *English Patient* ）里面的情景，印度军人带女朋友去教堂里看壁画，他把女友用铁架加绳子高高吊在半空中，让女友用火光去照耀那些壁画来看。

我也记得有一次，诚品画廊邀来了一批人像摄影作品，每张摄影作品都比真人高一倍，每张都拍一个路人。整个展示空间黑暗，灯光微弱，没有声音。那个下午，只有我一个人在里面，我根本不记得艺术家叫什么名字，可是那却是我看过最棒的展览之一。这些感动与力量，就是我喜欢和艺术品相处的根本原因。当然，如果有人买名牌包、穿名牌高跟鞋，可以打动心灵，为自己带来力量，那也是同样的道理。

能产生共鸣又买得起的话，非理性购买也无妨

我向来对于四平八稳的艺术品比较没有共鸣，也就很少买这类的作

品；就像女生进了鞋店，一定会遇到有共鸣的鞋和没共鸣的鞋。但是，对于有共鸣的玩意，我经常过于热情，造成我买了不少逞一时之快的东西，小到公仔，大到艺术品，都有。

陈冠宇也有很多非理性购买行为，整个拍卖会场都没人出价的艺术品，但只要他看对眼，也会忍不住举手买下。其实他家里也没有那么多展示空间，买回去也是放在仓库里，但重点是做了一件开心的事。他把这种购买行为视为消费，有时干脆把画当做礼物送人，这跟投资是两种不同的态度。这种买画的金额，必须控制在可负担的金额内，对他来说，超过某个价位之上，才是投资行为。如果是投资，就会抱着比较严肃的心态。

"三D"来时，机会也来了

不过，投资艺术品终究和股票不同，判断股票是高点的时候，就可以决定卖出获利，不会怀抱任何眷恋之情。可是某一件艺术品，就算知道现在可能是最好的卖出时机了，有些人还是宁可挂在客厅里，不会卖掉，因为舍不得。这种难以割舍的心态对于投资，其实是种干扰。

这就是为什么，大收藏家一过世，就是拍卖公司出马找货来卖的最好时机，因为收藏家的伴侣或子女们，对于这些艺术品可能毫无感情。

在拍卖界，只要收藏家欠债（Debt）、死亡（Death）、离婚（Divorce）这三个D发生的时候，艺术珍品就会有机会换主人了。像是巨星迈克尔·杰克逊（Michael Jackson）过世后，他生前的许多珍藏都被卖出来；时尚大师圣·洛朗（Yves Saint Laurent）生前收藏的七百多件艺术品，也都出现在拍卖场上。对已故收藏家的子女来说，可能很庆幸家里空了好多地方出来，换来的钱可以买喜欢的东西，像是游艇城堡之类的。

不过，对大多数刚入门的人来说，陈冠宇建议还是要付出感情。毕竟你投资太阳能相关股票，对太阳能不会怀抱着爱，那只是投资上的决策；可是你买艺术品，如果没有爱，那如何面对？如果没有爱，常常买的十幅画里面，可能六幅在未来是对折都卖不掉，所以你最起码要喜爱它们，不然最后可能看到这些画就有气。

买画是有缘分的，让你感动的作品，不一定能带回家，而且错过了，也不容易再买到。有一次上海双年展，我看到宫岛达男①的作品，是放映机投射出很多阿拉伯数字，在一张桌面上飘浮着。展示作品的整个房间是黑的，一张桌面像海洋一样，阿拉伯数字在里面慢吞吞地飘来飘去，我对着那张桌子发呆发了十几分钟，非常着迷。可是我也没想到要买，因为要我买一张碟片、一台计算机、一台投影机再

① 宫岛达男（1957—　），日本当代艺术家。作品主要为公共艺术，象征生命流动的电子计数器为其重要创作元素。

买画是有缘分的，让你感动的作品，不一定能带回家，而且错过了，也不容易再买到。

加一张桌子，就觉得好麻烦。就像你最爱的人往往不是你的结婚对象，这大概就是我们要坦然接受的缘分啦！

那么艺术适合哪种人买？像是当代艺术这种很值得深思、很挑衅、很幽默，或者很情色的路线，对于天性好奇且热情的人，可能会很有吸引力。

当代艺术渐渐融入生活场景

艺术家跟演艺人员一样，都是在付出自己的才华，创造出作品。明星们付出才华的表演，很容易得到别人的支持，从收视率、演唱会门票、电影院票房，明星们得到最直接的支持；用类似的态度来看待艺术品，也就会同意一个人燃烧他的才华做出来的东西，理所当然应该获得酬劳。

现代社会，往往不再只讲求温饱，3D电视跟温饱没有关系，Facebook或微博跟温饱也没有关系，对于某一部分的人，花钱如果可以解除寂寞，已经很划算了。

文明的累积是弥足珍贵的，我们现在看到的建筑物，不管是鸟巢，还是金字塔，那都是文明的累积，可以打动人心。如果没有艺术圈日新月异在发展，很难有那么多精彩的城市面貌出现。东京的六本木之丘不会是这个样子，芝加哥的天际线也不会是那个样子。那都是人类费心打造出来的美好的延伸。训练自己对艺术有感受、有意见，能进一步让我们有能力去体会艺术在文明发展的历程中所扮演的关键力量。

来自陈冠宇的提醒
除非你喜欢，否则别投资艺术

　　我从念书时期就对大陆很好奇，因为当时的时空环境，大陆对我来说有很多不知道的事。我到美国之后，大量接触大陆事物，读了很多书，见了很多人，寒暑假有空就亲身去游历。20世纪90年代初期，我第一次到北京，接下来几乎每年都有一到两次到大陆旅游或拜访。当时我第一次看到张晓刚的画，那是一个很特别的经验。

　　那是"大家庭"系列的画，画中有三个人穿着制服，是"文革"时代大头照的氛围。我站在那张画面前，竟然一直回想起，我曾经在书上读到了些什么近代历史的故事，我在哪一部电影看到了什么相关的场景，那幅画似乎把我丢回了20世纪60年代。我不是专业美术人，没有立场评断他到底画得多好，或是构图配色有多棒，但是这张画就是唤醒了我脑袋里所有相关的记忆，那已经超越了视觉，透过眼睛传到脑袋里，进而引发最深层的感动。没想到一幅很平面的、2D的油画，就能带来这么奇妙的经验，我想这也是为什么，后来有很多学术界或收藏界的人，会如此认同张晓刚的这个系列。

　　对我而言，艺术品可以无关投资，而单纯只是能够调剂心灵的东西。以前在工作很忙碌的时候，周末经常加班，可能只会有半天空闲时间。

这个空当，我会去逛画廊、看展览，来平衡我自己，我相信对于其他人来说，这种乐趣也是可以培养出来的。所以，就算你买的第一张画，不是出于喜欢，而是因为社交压力或是炫耀心态而懵懵懂懂买下，但是买了之后，你自然就会进入这个领域，逐渐发现乐趣。

如果你只是单纯要投资赚钱，相信我，艺术品不是必要的投资标的。你可以选股票、债券、房地产，或是各式各样的衍生产品，而不必投资艺术，投资艺术太麻烦了。

艺术里的金钱游戏

金钱游戏的发生地

这游戏动眼动脑，还要动脚

　　我家里曾经来过一个客人，是位上市公司的老板，财富可以排进台湾前一百名。当时他看着舍下墙上的画，问我："你这画是哪里来的？"我有点尴尬地回答："我买的。"不然咧，总不会是偷来的呀。

　　画，要去哪里买？怎么买？如果这位大老板有此疑问，代表企业界可能颇有些老板会有同样的困惑："画要去哪里买？"话说陈冠宇先生在美国念大学时，也曾经逛了一两年画廊，一直以为自己在逛美术馆，直到某一天逛到波特兰某个画廊时，刚巧听见有人在旁边议价，才知道原来墙上挂的这些画可以买。至于我呢，是在小时候亲眼看到艺术品可以用来抵债。那是一位在我家打麻将打输的书法家，他当场用指头蘸墨，写了一副对联给我爸爸，当做抵麻将输的钱。

上哪买画呢？画廊？拍卖会？

去哪里买艺术品？最主要的途径有两种，一是逛画廊，二是拍卖会。一般的定义，画廊的销售叫初级市场（primary market），也就是一手交易，而拍卖会是次级市场（secondary market），也就是二手交易。过去这两种买卖方式是壁垒分明的，可是现在不再分得那么清楚。

陈冠宇介绍：以画廊来说，现在也同时拥有次级市场的功能，例如你在A画廊买了一张画，过了三年想要卖掉，这时A画廊可以发挥二手交易的功能，帮你把画转卖给它手上的其他客人。而原本在做二手交易的拍卖，现在也跨足做一手交易。比方说拍卖公司直接去跟艺术家拿作品，然后放到拍卖会里看看有没有人要买。

以上是一般的买画渠道，还有另外两种特殊渠道，第一个是买家直接去艺术家的工作室买，这样算是跳过画廊，应该可以便宜不少。问题是等于鼓励画家违背与画廊的合约，造成纠纷。另外一个则是朋友之间相互买卖，这就要小心不要因为买卖的赚赔而损害了友谊。

画廊气氛有时很肃杀

第一次买画要选画廊还是拍卖呢？看情形吧！画廊分好坏，拍卖公司也分好坏。大部分肯认真经营艺术家的画廊，会自认为比较接近美术馆，而不是商店。我去纽约的时候，曾经背着背包，穿着球鞋走进一家画廊。画廊主人看到我的第一件事，是请我把背包放下来，要帮我放到一个安全的角落，以免擦撞到里面珍贵的画作，我相信他基于礼貌没有说出口的是，像我这种背包客实在不应该走进那个地方。

西方国家这种态度不算罕见，伦敦有些百货公司也会要求客人寄放背包。他们认为，客人应该穿着得宜，才能走进放满了昂贵东西的地方。

画廊确实不是一般的商店，比方说，画廊对一般逛街的人不见得欢迎。像一般商店要做生意，都尽量开在一楼，因为人气越旺越好。不开在一楼的，大概只有诊所或餐厅。但很多画廊根本不想开在一楼。画廊虽然没有在门口标明"仅限会员进入"，就算你在某大厦的大厅标示牌上看到九楼有家画廊，你也不见得有勇气上去逛。画廊似乎很爱摆出架子——"只有熟客可以进来。"

画廊不标价，喜欢密室交易

此外，大部分画廊的画都没有标价。我逛过唯一一家明确标价的画廊是在上海，这家标榜他们的画作走低价路线，所以把售价全都标出来，让顾客一目了然。

纽约市政府在20世纪80年代，曾经想过立法逼迫画廊标价，否则就要罚款。后来遭遇到画廊业者的抵制，画廊宁可交罚款也不标价，因为他们认为画作是艺术品，不是商品，标价对于纯粹欣赏艺术是一种干扰和冒犯。

因此，你很难知道画廊挂的画到底卖多少钱，这信息是不透明的。你买这张画的价格，只有你自己和画廊主人知道，画廊主人不会告诉其他人。

拍卖会，像艺术市场的橱窗

拍卖会就跟画廊气氛很不同了，办拍卖的目的就是要卖东西，他们可以卖画、卖邮票、卖房屋汽车，每一场都计算成交率，如果成交率达到百分之九十，拍卖公司赚到很多佣金，拍卖会结束后就可以庆功了。

电视新闻中，拍卖会动辄拍出价值上亿的艺术品，但是想进拍卖会，一定要是大富豪吗？那可不一定，也有拍卖品是从几万元起跳的。你当然也可坐在会场看热闹，什么都不买也没问题。

从投资的角度来看，去拍卖会买画有一个好处，里面卖的东西大部分都已经在市场上流通，不太会买到完全无法流通的东西。如果你去逛画廊，遇到一个孤芳自赏的画廊主人，他要展出谁的作品，完全就是依循他自己的爱好，根本不在乎有没有买家。要是你刚好很认同这个画廊主人的眼光，买了他推荐的画，那你要有心理准备，你买的这张画可能永远卖不掉，也许全世界只有这位画家、这位画廊主人，以及你，一共三个人喜欢这张画。

> 画廊卖给你画，交易价格除了画廊主人跟你之外，没有任何人会知道。

拍卖会里人多好壮胆

换做在拍卖场上，就可以观察买这幅画时有几个人跟你竞争，来分析对这张画感兴趣的人有多少。比如说有五个人跟你竞争，最后被你买到了，那么你将来要脱手时，理论上那五个人还是会有兴趣才对（但也只是理论上啦，要提防他们是受委托来拱价钱的临时演员）。另外，拍卖会还有一个微妙的功能，你可以当场感受到你买的价位合不合理，也就是众人的竞相出价会提供你安全感，让你觉得自己买的东西是值得的，相对来说，某件作品从头到尾，只有你一个人出价，虽然轻易买到，心里不免凉飕飕的，不知是不是自己判断出了问题。

不过拍卖会台面下的花样颇多，而且，在拍卖会买东西付的佣金有时很昂贵，买家通常必须负担拍卖官落槌成交价的百分之十到百分之二十五不等的佣金。以百分之二十五来算，你花四百万元标到一幅画，加了佣金后，总共是要付五百万出去，难免会心疼；如果在画廊买画，起码还有可能请老板打个折扣，差别很大。

来自陈冠宇的提醒
游戏新手可以找好人当顾问

一般人要买画，很难只靠自己就能搞清楚状况。建议可以先找到好的画廊来给你意见，协助你规划收藏方向或投资策略。因为他们在这个圈子里，知道市场的生态，知道什么是真什么是假，知道什么是炒作后的价格、什么有好的基本面。不逛画廊却只去拍卖会，容易被表象误导，如果始终不去结识艺术市场的专业人士，不跟他们培养交情，他们怎么会把正确的信息透露给你？

那要如何找到好的画廊呢？第一个，你看这个画廊选的画，合不合你的品位？是不是你喜欢的？第二个，你要跟画廊的主人多谈谈，看看他经营这家画廊的逻辑是什么？经营方式是怎样？对艺术交易的心态如何？他的知识广度与深度有多少？如果你认同他的理念和做法，就可以开始跟着他，让他给你引导。不过，如果你本身品位就非常奇特，那很可能与你投契的画廊也会比较"奇特"，那就难说他给的意见是否可靠了。

❶巴斯奇亚（Jean-Michel Basquiat, 1960—1988），美国艺术家。以街头涂鸦画家崛起，作品常以城市、死亡、黑人为创作主体。

这场游戏，同队的人很重要

在娱乐圈，我们会观察各家经纪人过往的成绩。如果有位经纪人曾经一手捧红汤姆·克鲁斯（Tom Cruise）或杰西卡·阿尔芭（Jessica Alba），那大家都会注意这位经纪人的动向。假设我要拍电影，看到这经纪人现在签了一个新人，我会判断这新人很有前途，趁这个新人一部电影的片酬才三十万的时候，赶快去签五部片约。因为等到有一天她变成一部电影三百万片酬，我就请不起她来演我的电影了。

就像是我买不起一张上亿的巴斯奇亚①的画，但我看到经营巴斯奇亚的同一家画廊签了一个新画家，二十岁，一幅画五万块，我负担得起，这时我们要不要相信这新人将来会变成下一个巴斯奇亚？比起没有捧红过任何人的画廊，理论上你会信赖这家捧红过巴斯奇亚的画廊更多一点。

接下来不妨进一步问这位画廊老板："你是签了三十个新人，还是只有三个？"如果他回答："我只签了三个新人。"那我们比较有理由判断，这个经纪人会花很多心力在这三个新人身上。

好画廊主人，
会像好房中介为你筛选指引

逛画廊就像是星探在台北东区搭捷运，看有没有漂亮妹妹是变成明星的料，你要在一个明星发光发热之前，就看到他的潜力。如果你永远都不走进画廊，那么等到人家把林志玲、周杰伦捧成大明星，你就只能买票观赏他们的表演，分享不到他们由素人变成巨星那一段起飞的乐趣。逛画廊是要给自己一个机会，参与画廊逐步地把新人塑造成巨星的过程，而你跟这家画廊共享成功的甜果。

要找到好的画廊主人，就像买房子要找好的中介是一样的。台北市仁爱路的门牌是最好的，大安区是最好的，这是毋庸置疑的，但如果你找到一个好中介，你可能会用比较便宜的价格买到好房子。因为他会帮你过滤，分析你看中的房子值不值得买、价格合不合理。买画也是一样，你做完功课之后知道张晓刚很值得

❶奈良美智（1959— ），日本当代艺术家。笔下的大头斜眼娃娃是其作品中的招牌形象。

❷赵无极（1921— ），中国当代油画家。留学法国，作品主要是以大自然为题的抽象画。

"画廊"会栽培新人艺术家，目标是让作品逐年增值；"画店"则是流通中心，通常不积压存货。

买，但他的作品不可能全都是同样的价值，这时就需要好画廊给你指引。尤其要用比较大的资金去投资艺术时，找个可信任的画廊主人是特别重要的。

怎样才算是好的画廊主人？有位画廊主人张颂仁，可以说是中国当代艺术最重要的推手。他是香港人，他的画廊"汉雅轩"除了在香港之外，也曾经出现在台北市仁爱路。当时我刚开始工作，什么都买不起，但我去逛他的画廊时，他跟我泡茶聊天，讲给我听好多我从不知道的当代艺术。

他还会从仓库里搬画出来让我看，绝大多数都是如果我当时买下，后来会增值起码一百倍的作品。以我当时一张画都买不起的状况，他根本没有任何理由耗时间接待我，可是他一点也没有不耐烦。后来很可惜"汉雅轩"在台北没有开了，但张颂仁在我心中，是非常热情又有见识的画廊主人。

画廊栽培新人，"画店"只管做买卖

陈冠宇解释，画廊像是经纪公司，会栽培新人艺术家，跟艺术家签约之后定期举办展览，培养足够支撑艺术家收入的顾客群。至于不签新人的"画店"，则跳过这一段，谁的画好卖，就到处去找货，找一张奈良美智①，找一张赵无极②，就把它卖掉，画店算一个流通中心。它进货的原则就是以有人要买为前提，所以通常不会积压存货，也不会因为欣赏一个新进的艺术家，就买进二十张他的作品慢慢等他红。

画店有画店的销售风格，他会告诉你："上个月伦敦的拍卖，跟这张很像的画卖了三百万呀！"甚至只说："买了我的画就会赚钱！"这时我们应该自问我们期望的是什么，不见得画店就不好，有些画店门路广，很会找画，常能带来惊喜哩。画廊或画店，各种营业方式，都因为有需求才会存在，只是你要搞清楚，你的艺术投资，要走的是长线还是短线，或者部分长线、部分短线。

滞销有时比畅销更好的怪行业

画廊主人在谈旗下签约新人艺术家时，比较不适合吹嘘"买到就赚到"这类的话，因为新进艺术家毕竟还没有受到各方认可，也还没参与过拍卖，没有成交价。他比较适合跟你讲他跟这个艺术家签约的原因，用这些原因来打动你，毕竟一个好的画廊主人不会只相信钱的力量，他必须更相信艺术的力量，不然他专心到处搞投资就好了，何必开画廊？艺术品牵涉到品位跟感情，不同的画廊主人总有不同的心态。

所以，如果你走进一家认真的画廊，却完全不是为了欣赏艺术，而是流露出买股票的心态，应该会冒犯一些严肃的画廊主人。我认识一个上市公司的老板，他的财务人员每次在审核这位老板投资的画廊时，都向画廊抱怨说："为什么你们这么多库存？这个月营业额又没有达到标准。"画廊经理人只好捺着性子解释："这不是库存，画廊能够立足的重要原因，就是因为我们有珍贵的大量存画，如果有一天仓库的画都销光了，画廊就没有立足的依据了。"画廊不会因为画卖光了而高兴。他们认为这些未来会增值的画，正是资产，卖一件就少了一件。这些存着没卖掉的画，等于是金蛋，孵着孵着，会孵出更多黄金来。

买画有话术，谈钱太俗气

因此严肃的画廊主人，可能不喜欢被问到："这画明年会不会涨？""这幅画卖两万美金，明年会不会涨到三万呀？"他当然希望卖出的画会增值，会愈来愈受欢迎，可是画廊主人比较希望能跟客人谈的还是艺术话题，像是"这画家被认为很有街头精神，明年还有机会参加圣保罗双年展"之类的。

如果电视台老板第一次跟我见面就说："你的节目可以帮我带多少广告进来？"我大概不会跟他合作，我当然知道电视台找我做节目常常是为了收视率，让电视台的广告满档，但我不希望电视台只把我当成赚钱机器。一见面就谈收视率的，这么直率的电视台我是还没遇过，大部分总会委婉地说："我们很喜欢你的主持风格，希望有机会你可以在这里开个节目。"话都是这样讲的，各个行业的人都需要被尊重，包括画廊主人也一样。

所以画廊主人也会倒过来观察客人，当他问你买画的原因，而你回答："我朋友说买这个会赚。"他对你态度会有保留，因为他在认真地规划他旗下新人的未来，他有他逐步推广新人的节奏，而你却摆出一副只想从他的新人身上咬一块肉下来就跑的态度，他不太可能喜欢你这样的顾客的。除非他自己也是这个路线，打算把肉啃光了，丢下骨架就跑，那你们就投契了。

喜欢一个人，不必让钞票陪葬

我也会观察画廊主人在推广旗下艺术家时，有没有很好的手腕。这跟娱乐圈是一样的。如果一家公司老是在做曲高和寡的节目，也许真的很有水平，却未必是一个好的合作对象。曲高和寡的画廊可能会把一台非常前卫的艺术家用过的、引起争议的洗过动物尸体的洗衣机卖给你，下次又去做一个更有争议的展览，比如用榨果汁机装活鱼的展览。这个画廊主人可能是有很深的口袋，然而他对艺术的狂热，也可能会用你的钞票陪葬！

画家本人，是否具备想要出人头地的动力，当然也很重要。所以，我会问问这个画廊主人："这个画家住在哪里呀？"他回答："哦，他住在花莲深山里。他从来不愿意到台北市，也从来不愿意跟买他画的人见面。"那接下来，我就会问："那他有参加国际展览的机会吗？"如果他回答的是："哦！他不在乎。他是艺术家，脾气大得很，谁都不要见，只画画而已。"这样的话，我可能会在心中打退堂鼓，因为我可不想买一位比较适合炼丹成仙、避世隐居，不愿意跟任何策展人或美术馆长见面的艺术家的作品。

找家气味相投的画廊，开始接触艺术吧！

陈冠宇如果跟画廊主人聊天，会问他，为什么签这个画家？比如说画廊这一档办的是印尼三十岁以下画家的展览，就可以聊聊，为什么是印尼？为什么是三十岁以下的画家？他如果说得出原因来，就比较能懂这画廊的路数。假设别人都在做韩国、日本的画展，他做印尼就很特别，可能有独到的见解。

来自陈冠宇的提醒
把逛画廊排入旅游行程

　　画廊主人的知识量，以及对于新买家的教育能力很重要。我认识几个很重要的画廊主人，在跟他们接触的过程之中，了解到很多市场的生态变化，我到现在都还很感激，他们也让我抓住很多投资艺术的时机。

　　我以前还在银行圈工作的时候，每月飞来飞去，如果预定周末会在伦敦，我会先做一些功课，了解伦敦有哪些画廊，哪些画廊的哪几个艺术家是我想看的，再计划要逛的路线。我那时只懂相信权威，就先选一些大名头的画廊或艺术家，其实就跟第一次买股票会买大公司一样。因为我只知道这些大名头，所以我逛到的画廊，几乎每一家都是我买不起的。我才知道，如果要逛自己买得起的画廊或艺术家，就得更深入地去挖掘，需要做更多功课。

　　举例来说，成功推广艺术家奈良美智的日

 川岛秀明（1969— ）日本当代艺术家。线条细致、大眼长发的女性表情头像为其作品的主要视觉特色。

本大画廊——小山登美夫画廊，把奈良美智由默默无名经营到扬名世界，它也经营过村上隆、川岛秀明①这些大艺术家。于是我就跳过这些已经很出名的大艺术家，而去挑选小山登美夫代理的年轻艺术家，因为我相信它的经营能力。我抱着一个希望，也许有一天这些年轻艺术家可以被它经营成下一个奈良美智。像这样从大名头的画廊里，去找自己喜欢且负担得起的艺术品，是很适合入门者的策略。

还有一个检验标准给大家参考，一家负责任的好画廊，应该要规划好逐年以合理幅度，提高旗下艺术家的画价，这也是画廊对顾客的承诺。业界有一个大概的行规，比如说，某家画廊每年为签约艺术家办展览，这个艺术家的售价，大概会每年提高百分之十。对顾客来说，一年之后再来逛画廊，他会很高兴："我去年买的画，今年已经提高百分之十了。"而付出心血的画家，也会高兴自己的收入逐年变多。

游戏中"吊胃口"的手法

陈冠宇要讲一个开店老板的心理：比方一家精品服装店的老板，进口了两件昂贵的限量皮衣，如果先有一个省吃俭用、存了半年才存够钱的高中生上门，老板可能会骗她，那两件都卖掉了，因为老板要留着把好货卖给每个月随手就来买五件衣服的贵妇，而不会卖给一个可能半年后才有能力再光顾的高中女生。有些画廊主人，若告诉一般顾客本次展览的所有画都已卖完的时候，也恐怕是另有考虑。他说卖完，有几个可能。

第一个，真的都卖完了，甚至画展开幕前，就被手脚快的买家先抢光了。有一些画廊，明明定在周六开幕，周四打电话去问就得到这种回答："对不起，卖完了，真的没有画了。"

第二个，说卖光只是造势，散布市场热络的假象。总不能展了十六张，剩下十五张没卖出去，还老实告诉别人，被知道这画家没有人气，会让大家从此更不敢买。

第三个，画廊宁愿自己先留着，这张画现在才值人民币三万元，不如放在仓库，等到变成了三十万再脱手。毕竟展览需要基本开销，卖你三万元一张画，可能画廊只赚三成或四成，只够弥补一些开销；如果他对这位艺术家有信心，会留住一部分画，等以后增值再卖，可以赚更多。如果你很了解这位主人，知道他爱留货，还是可以跟他慢慢磨。

第四个，你对他来说是不够重要的顾客。假设一个中等产量的画家，一年完成二十四张画，是很有限的数量。二十四位新旧买家分一分就没了，要销售一空是很容易的事。所以画廊主人会留一手，这样当一个他得罪不起的顾客上门时，他起码手边还有几张画可以应付。

如果你是一个名人，对画廊可能有宣传的意义，或者你是业界极有影响力的人，例如一个美术馆的馆长，或是一个艺术记者，或者他认为你是一个值得他长期培养的收藏家，即使没有名、没有影响力，但你这种稳定的买家，才是画廊真正扎实的客人。相反地，如果你是买了一次就再也不上门的顾客，画廊费心和你建立交情，就没什么意思了。我碰过有人说："我家有三面墙壁，所以需要三张画。"那三张买完后，他就根本不会再买画。对画廊主人而言，这可不是什么迷人的买画哲学。

还有一种状况，如果画廊主人知道你买画之后，动不动就想获利了结，不顾约定就尽快送去拍卖（许多画廊会跟客户口头约定或书面约定，买进三年内不能拿去拍卖），你这样做会打乱画廊对艺术家的规划，画廊也会防着你。

买东西还要通过面试的奇怪规则

陈冠宇举了个例子，有对教授夫妻去一家画廊逛了好几次，想要买某个艺术家的画。因为画廊主人刚好都不在，也交代经理不能擅自卖，所以这对夫妻一直没办法买到画，扑空三次之后，终于约到了主人。主人详细问了夫妻的背景，为什么喜欢这个艺术家，为什么要买他的画，买了是准备要挂着还是投资，如果要投资会想要多久后脱手，脱手会找拍卖还是拿回画廊寄卖。聊完之后，那位习惯考别人、不习惯被考的教授先生用台语撂下一句话："你面试完了哦！现在可以给我们画了？"隔天这对夫妻才顺利地把画带回家。大家都笑这位画廊主人卖画像在嫁女儿、挑女婿。

保护艺术家，还是玩伎俩？

画廊当然也可以"以退为进"，吊你胃口。先摆出一副抢购一空的样子，让大家都觉得："这艺术家好红哦！都买不到。"事实上，画廊可能会在画展结束后找你："本来是某某客人要的，但因为我觉得你是更重要的收藏家，所以我特别留两张给你。"像日本有一家知名的画廊，每一个艺术家，每一场展览，任何人进来询问，他永远说是卖光的，除非你跟主人进他办公室密谈，才有机会买到画。

古代中国文人为了得到一方砚台，为了得到一张水墨，会去古董店跟老板来往，建立长达三年、五年的交情。每次都请老板把那一张唐伯虎的画拿出来给你看一眼，他不卖给你，又把画卷起来放进仓库；下个月你说再让我看一眼，他仍不肯卖；搞了五年，老板过足瘾了，最后终究会被你打动，把画让给你。那些文人也并不会觉得磨很久是痛苦的事，反倒乐在其中。

如果你很想买那个砚台，主人却说："砚台真的不能让，这是我们祖传的，可是这盒墨条很好。"这墨条价钱约是砚台的十分之一，你要不要买？当你买下来，他才会觉得你是认真的，或起码是上道的。砚台才有机会轮到你买。

排在候补名单上等买画

2007年年底，艺术品的景气非常好，陈冠宇到日本逛画廊，有个艺术家他非常喜欢，但画廊主人说都没有画了，全部卖光。陈冠宇还是希望这位艺术家有新画时要通知他，于是主人就把他排进等候名单里，也无从知道是排在名单上第几顺位。后来画廊主人却带着两张这位艺术家的画，到东京、北京、台北以及巴塞尔做展览。陈冠宇也去了，表示想买那两幅画，主人却还是说："对不起，不能卖，我们只是带来展览而已。""不是有放在等候名单里吗？""哦！很抱歉，还没轮到你。"就这样从2007年下半年，这艺术家的画一直到处被展览，但是陈冠宇却一直买不到。

到了2009年4月，在香港艺术博览会上，那位画廊主人又带了这位画家的画去展览，这次态度大转变，一看到陈冠宇就把他拉进摊位热切地说："这张画是你的。""为什么是我的?""名单轮到你了，我们特别为你带到香港。"

2009年年中，景气已经不好了，但陈冠宇还是愿意依照之前的画价，买下了这张画，因为他毕竟等这画等了很久。而且陈冠宇是业内人士，这次不痛快买下，可能影响他下次在等候名单上的排名顺序。我很庆幸，我和陈冠宇不同，我只是一般买画的人，要我在候补名单上等两年，可能我本来要买画的钱早已挪作他用，拿去做更有效率的用途了！

受惠现代科技，不用搭飞机，网络上就能提供你乱逛国外画廊的机会。

能帮你参与游戏的各网站

如果要了解艺术家的行情，有些数据在网络上就查得到，以下粗略介绍两个将信息数据化的国外网站，可以查询到艺术品拍卖的逐年成交记录，是圈内人常用的工具。

（1）Artnet（www. artnet. com）

较大众化，查一般信息时不用付费，但要查成交记录时，就要成为付费会员才行。

（2）Art Price（www. artprice. com）

分为不同级数的会员，会费愈贵，可以查到的年份愈多，会费大约人民币几千元起跳。

以Artnet为例，我翻外国艺术杂志时，如果发现一张我很喜欢的画，我又完全没有听过那位艺术家的名字，这时我会到Artnet输入艺术家的姓名，可以看到他由哪个画廊代理。接着我会点进去看这家画廊，看它旗下代理了哪些艺术家，如果其中有几个是国际知名的"大咖"，你就能大致判断出这个画廊的定位。

写e-mail询价，验证一下自己的眼光

Artnet网站还有一个方便的功能，可以测试你的眼力。你点进去任何一张画，有一个按钮可以直接发电子邮件给画廊，询问这幅画的定价。假设你对一个名叫cai的艺术家很有兴趣，而这家画廊总共有三张cai的画，你可以三张都发信去向对方询价。如果他回信给你说，这三张画全部都卖完了，那起码表示这位cai多少算抢手，说明你的眼光不错。万一画廊回信说你询价的这三张分别是三万、五万、七万元，就表示这位cai的画一张都没卖出去，你的眼光可能跟市场有落差，选到了一个大家都不买的画家。

当然，这样做只是好玩，不能作准，何况利用这个省力的方式问问题，画廊主人也很有可能完全不理你，这一方面也许表示他生意忙到没空回信，或者这画廊已快倒了。当然有礼貌一点的画廊，还是应该回一封电邮告诉你cai的画到底卖掉了没。不过不像是金融风暴时，有些原本从不回信的画廊主人，会突然变得很殷勤，回信给你说："半年前你询问的画家，现在我们终于为您张罗到一幅可卖了。"这时你就知道，哦，景气太差，滞销了吧！

另外，网络上可以提供你乱逛国外画廊的机会。比如说，你发现一家开在瑞士的画廊，却经营很多印度的画家，这多少证明了印度画家在欧洲也拥有不少买家，你可以因此进一步在网络上分析哪些印度画家比较"有国际盘"。

来自陈冠宇的提醒

画廊经营绩效，不像基金容易评价

　　由于艺术信息的封闭，一般人其实很难深入了解市场上的交易实情。投资人买基金，会看基金经理人过去的绩效，但是挑画廊的时候，除非画廊主人的经营历史已经有很长一段时间，否则我们很难搞清楚它的经营绩效。

　　另外，如果到拍卖价格查询网站，例如Art Price，想知道2009年5月各国加起来共有二十张参加拍卖的奈良美智的作品，分别是多少钱成交的，你就必须付费加入会员，你才有办法知道。但是如果你常和拍卖公司往来，那你也有可能不用付会费，就有拍卖公司把成交价整理给你。像是佳士得拍卖公司，以前有一个很简单的方法，你只要打电话进去按几个键，输入你要问的那场拍卖日期的某一件拍品的编号，你就能知道拍卖结果，拍卖公司本身并不会故意隐瞒价格，这是他们的业绩，愈多人赞许他们的业绩，才会有愈多藏家乐意把好东西交给他们来卖。

拍卖会是近身肉搏的游戏场

　　所谓拍卖，是有人要卖画，把画交给拍卖公司，委托拍卖公司来广为宣扬，招徕人气，造成竞相出价的盛况。而从拍卖公司的立场来看，为了自己的拍卖业绩，当然会尽可能找抢手的东西来卖，这是很明白的供需关系。只是越抢手的画，愿意拿出来卖的人就越少，这就像是股票正在涨，投资人认为还会继续涨，不会舍得卖掉。

　　陈冠宇强调，很多人误以为，我现在不管买了什么画，将来交给拍卖公司去卖就行了，这想得太容易了。拍卖公司可能对你摇头说不，不要的原因很简单，以正规的拍卖公司做例子，

❶ 法尔哈德·莫西里（Farhad Moshiri，1963—　），伊朗画家、混合媒体艺术家。他的艺术创作在开发波普艺术的混合形式上具有独创性，主题涉及广泛。

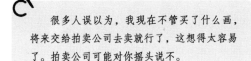

很多人误以为，我现在不管买了什么画，将来交给拍卖公司去卖就行了，这想得太容易了。拍卖公司可能对你摇头说不。

一年在香港举办两次拍卖会，每次拍卖会如果容纳三百件画作，就像可容纳三百人的电影院一样，坐完就没位置。它收你一张画，就挤掉了三百分之一的座位。除非你的东西够好，拍卖公司才会收。当然也有卖家很有分量，拍卖公司必须另眼相看，比方说你手中有一幅伊朗大名家法尔哈德·莫西里[①]的巨作，是中东地区的拍卖公司梦寐以求要拿去拍的画，但你可能同时有另外三张极冷门的伊朗小画家的画，怎么卖都卖不掉，此时就大可用那幅莫西里大师的巨作作为筹码，让拍卖公司顺便把你那三幅冷门的画夹带着放进拍卖，比较有机会卖掉。所以我们在翻拍卖目录的时候，也有可能看到非常冷门的东西。

拍卖的估价，高或低都是战术

委托拍卖公司卖画的人会定一个底价，例如，这张画如果低于二十万就不要卖，宁愿让它流标；但如果卖家的期望太不实际，拍卖公司可能会建议他降低底价。这时候就牵涉到卖家的心情，第一，当初他如果以十五万元买进，理论上用十五万元卖掉，他可能会接受。第二，他急着换现金，说不定十二万也愿意卖。第三，他觉得当初十五万买进，卖掉后还要扣掉拍卖公司抽的佣金、广告费成本，所以一定要二十万元才符合卖画人的最低要求。

当卖画人定完了底价，拍卖目录会印上专家对此画的估价，估价高低是策略运用，不同拍卖公司的估价策略可能不同。比方说，这张画底价是十五万，估价未必会写明十五万到三十万，可能会写八万起跳到二十万。大家就从八万、八万五、九万，一直竞相出价到十二万，但最后因为没有达到十五万的底价，就会当场宣布流标，马上换下一件上场接受出价。

拍卖公司在目录上印出很低的起跳价，可以吸引参与拍卖的人眼睛一亮，有点像3C卖场卖电视，会在电视机上方写一个"原价一万块"然后用红笔划掉，底下又写一个"特价六千九百九十九元"的价格一样。但也有的拍卖公司不用这个策略，底价十五万，它的估价就从十五万起跳，只要有一个人举手，就能跨过底价门槛成交了，以免给该场拍卖多留下一个流标的不良记录。

拍卖前办展览，让你亲眼体会

以下是陈冠宇介绍初次接触拍卖的步骤：拍卖前几周，拍卖公司会办预览展，重要顾客群在哪里，拍卖公司就会去哪里办展览，就算拍卖会在香港举行，但是拍卖公司还是有必要将整批画运到北京、上海、台北，轮流展示，让各地的潜在顾客都有机会亲眼目睹这些画。

去看展览时，可以亲眼检查一下你感兴趣的画作的状况，因为拍品目录可能印得很漂亮，可是现场一看呢，可能画面油彩都裂了，或者是色泽跟印出来的很不同。像我有一个朋友很爱版画，她每次到现场还会请拍卖公司的人把镜框拆掉，拿出版画来，检查它的状况。那更不用提瓷器之类的，买古董的人，一定要去现场，戴着白手套，检查瓷器上面的釉料等细节。如果拍卖会上有卖珠宝，很多贵夫人会把翡翠项链戴在颈子上，试试看颜色跟自己的肤色配不配。

去展场探听敌情

拍卖公司的长期顾客，会定期收到拍品目录，这本目录里面印了每次要拍卖的物品与估价，大家拿到目录之后，开始翻看有没有心动的物品，一边翻，一边心里默默算着手边可动用的钱有多少。

假设5月16号拍卖，通常4月16号会开始巡回展览，买家可以去现场，一方面看展览，一方面留下顾客资料给拍卖公司，请他们定期寄目录给你。不过当他寄了几次目录给你，你都没有买任何东西，大概之后就收不到了。可是只要你买过一次，成为他们的顾客，他们以后就会免费寄给你。你现在进去艺术方面的二手书店，会发现一大摞一大摞的各种拍卖目录，以前的旧书店绝对不会出现这么多拍卖目录，这也反映出华人现在对艺术投资的热潮持续升高。

在展览现场，拍卖公司会想多了解你的身份、你的职业、你是谁谁谁的朋友，或你是看到媒体上的消息才来参观。这时候拍卖公司人员就很像画廊主人那样，判断着你是哪一类型的买家。

在展览会上听到的专家们对艺术品的介绍，有些很客观，有些可能略有促销的意味，我建议第一次去看拍卖品展览的人，可以勇于提出各种问题。毕竟拍卖会本来就是一个撮合买卖的地方，就算你直接问"我买这个将来会不会赚"都没有关系，拍卖公司的人员见识过各种顾客，不至于被你的直率给冒犯。

去打听这场游戏的其他玩家

陈冠宇建议，如果要问拍卖公司问题，可以这样问：

问题一："这个画家你们之前有拍卖过吗？"

假设你完全是个外行人，指着一幅班克斯的画，问这个问题，拍卖公司的人员可能会在心里冒出三条黑线，但还是会耐心告诉你"班克斯这几年都拍得非常好"或者"他是去年拍卖成绩最好的画家"。

但是，如果你问到的确实是他们第一次选进拍卖来的作品，从来没有出现在拍卖会过，那他们应该会很尽责地告诉你，他们之所以选上这位艺术家的作品，是因为已经被某某美术馆展过，或哪家有名的艺术杂志曾大篇幅报道过此人的艺术。

❶ 白南准（NamJune Paik，1932—2006），美籍韩裔影像艺术家。他的作品将艺术、媒体、技术、流行文化和先锋派艺术结合在一起，极具特色。

❷ 喻红（1966— ），中国艺术家。作品及创作风格均从女性角度出发，灵感取材自个人体会及周遭人物的生活。

❸ 张洹（1965— ），中国行为艺术家。作品包括雕塑、装置艺术等。

❹ 荒木经惟（1940— ），日本摄影艺术家。作品多以城市与女性身体为题材。

❺ 刘野（1964— ），中国著名艺术家。作品多为脸型圆润的女人、女孩，画风明亮，富有情趣。

问题二："这个画家以前拍的成绩怎么样？"

这一题可以得到些具体的回答，例如，"因为这艺术家有基本支持者，只要把他的画拿出来，起码都会有五个人想要。我们去年拍他的画，每幅都是在估价范围内卖掉……"

问题三："上次拍卖，这位艺术家的作品是何方神圣买的？"

你问买家是谁，拍卖公司基于职业道德，都不会告诉你答案。但是你可以从侧面了解，是西方人还是是亚洲人？是美术馆或个人？比方说韩国大师白南准①用好多电视机堆积成的巨大机器人，或者喻红②用一幅接着一幅的白色长丝绸，连接成巨幅的油画大丝幕这类巨大的作品，通常比较可能是美术馆或时尚精品的艺术类基金所购藏。

拍卖公司也会想了解你对哪种风格感兴趣，品位比较温和还是比较勇猛？精致的还是粗野的？专家们就可以针对你的兴趣，为你推荐拍品。有时贵妇带着小孩去看展，说要帮小孩选一个礼物，拍卖公司人员应该就不会介绍风格慑人的张洹③的摄影，也不会介绍裸露器官的荒木经惟④的摄影，而较适合推荐奈良美智的可爱小狗，或刘野⑤画的小美女。

作品的故事，是艺术品的附加价值

另外，你通常也会听说某些作品的光荣血统，例如，这件作品上几任的收藏家可能是大导演奥利弗·斯通（Oliver Stone）或大明星伊丽莎白·泰勒（Elisabeth Tylor），或者，之前可能是挂在某歌剧院大厅或由哪家倒闭的美术馆流出。老实说，买卖艺术，有时是在买卖这件作品携带的故事。就像是现任法国总统萨科齐的夫人布吕尼曾经拍过裸照，那张裸照之前的成交价大约人民币二十万元，对于大富豪来说并不算昂贵，而且每个客人来家里，他都可以得意地炫耀他墙上所挂："这是法国第一夫人的裸照。"绝对引起众宾客欢喜赞叹一番。你说那张照片本身有什么艺术价值？未必有，可是它很有故事，这是艺术买卖的附加价值。

展览会上，拍卖公司也可以对大客户制造一些紧张气氛。例如，告知他们某张画是巴斯奇亚现存最大尺寸的画，或是某件刘丹①已经有三位上市公司大老板感兴趣了。这些信息都会在顾客心中形成一定的影响。

当你在一幅画前面停得够久，比如说超过了三十秒，拍卖公司人员应该会过来跟你介绍："这件作品是刘丹还在试验他画出中国山水的笔触那个阶段画的"，或"这张画一直藏在画家当年的巴黎房东的遗孀手里，这位夫人最近过世了。"总之话里的信息就是："你这次不买，

① 刘丹（1953— ），中国当代水墨画家。自从1983年以来，在美国各地举办多项个展及参加具有重要影响的展事。出版画集有《刘丹水墨长卷》、《透明的黑诗》、《静止的表情》等。

就错过艺术家某个转变的关键或某段离奇的身世了。"拍卖公司本来就应该制造热烈的购买气氛，这是他们的天职。

而像我这种口味比较奇怪的买家，专家会推荐我注意一些光怪陆离的作品，"这个别人都不敢挂，恐怕只有你敢吧！"这时我当然要理性一点，总不能因为中了激将法，就买一堆会害自己吃不下饭的怪东西呀！

来自陈冠宇的提醒
电话竞标，先索取状况说明书

　　拍卖在世界各地举行，不可能每个买家都有空亲临现场，更何况许多大买家不愿被发现自己买了谁的画。所以很多时候买家采用电话竞标、网络竞标或是传真出价。如果买家无法在竞标前看到原作，可以在目录上选定想了解的作品，请拍卖公司提供拍卖品的状况说明书（condition report），他们是有义务要提供的。如果作品上有损毁或刮痕，都必须在说明书上描述清楚。另外，偶尔有些物品卖到某些地区，会造成一些额外的税，这种细节也会在目录上标明。甚至有些西方艺术家还规定某件作品一旦将来转手卖出，艺术家本人要求分红百分之多少的，这个状况极少见，但如果有，也应该列明在拍卖目录上。

游戏玩家心理战

　　所谓"冲冠一怒为红颜"，假设林志玲或林熙蕾这种等级的性感女神走进了一场原本气氛理性平静的拍卖会，所有在场的男士买家应该会默默地肾上腺素分泌加速，斗志渐长，举起的牌子都不愿意放下来，可能造成那一张画，拍价飙到行情价的五倍以上。所以也许拍卖公司每一场都该请一个女明星当艺术大使坐在里面，以其艳光擂起灵魂之战鼓，看能不能激发雄性的战斗力。村上隆书里讲过一句话，一个艺术家的破纪录成交价的背后，可能只是某一个有钱人的小老婆说了一句话："这张画好可爱哦！我好喜欢！"然后就创造了一个非理性所能分析的天价。

　　这当然是开玩笑的说法。但是，一场拍卖会里竞争出来的价格，确实经常有很多你想都想不到的因素在里面，有时候并不能实际反映这个艺术家在市场上的合理价格。有些比较不上轨道的小型拍卖公司会使出以下手法，制造一些结果出来：

手法1：空喊

陈冠宇建议把这些手法当江湖逸事听听就好，不必草木皆兵。第一种手法是"空喊"，假设拍品的起跳价是十三万，你看到拍卖官在上面，从十三万开始喊："十三万、十三万五、十四万……后排十五万。"可是你明明就站在全场的最后排，现场没有看到任何人举牌啊！拍卖官为什么空喊？因为只有一个人出价，没人竞争价钱就上不去。

换个角度想，反正只要还没有到底价，空喊也没影响到谁的权益，只算炒热气氛，不过一旦把价钱拱到底价的边缘，就应该停止空喊了，如果底价二十万，拍卖官可能会空喊到十九万，这时全场只要有一个人相信了拍卖官刚才那一轮"空喊"，而举起牌子出二十万，就成交了。景气不好的时候，你就会发现，不少拍品总会有隐形人一路把价钱拱到底价边缘，却老是缺临门一脚而终究无法成交，应该就是拍卖官在"空喊"。

手法2：作价

拍卖会，应该只扮演撮合买方和卖方的角色，但是现在有少数拍卖公司会把自家囤积的画，放在自家的目录上参加拍卖，而且通过手法造成拍的价格愈高愈好，让自家的存画也就更值钱。这就造成游戏规则混乱，发牌的人自己也下注，于是拍卖公司不再中立，可能会去作价。

另外，如果有件作品底价二十万，拍卖之前有买家用传真出价，最高出价到二十五万。如果这位买家是本人亲临现场，到时没有人和他竞争的话，他举牌举到二十万就可以买到，不会需要出到二十五万；但因为这买家是传真出价，他的预算最高可到二十五万元这件事已经被拍卖公司知道，拍卖公司可能会制造其实不存在的竞争者，也就是请公司职员坐在底下冒充顾客假装举牌，硬是要把价钱拱到二十五万元才甘心，反正这是买家的预算，老子就是要多赚佣金，很少数不够专业的拍卖公司也许会这么做。

还有一种手法。拍卖公司知道某件作品有王先生想买、李小姐想买，他会告诉王先生："有人要出三十万。我建议你出到三十五万，比较有机会买到，如果出二十五万，那就根本一点机会都没有。"另一方面，拍卖公司会请李小姐出到四十万，所以就算王先生举三十五万，还是买不到；但靠着王先生的"共襄盛举"，才能把李小姐的四十万逼出来。因为拍卖会里的价钱是大家竞争的结果，需要有各路买家各不相让，才能把价格顶上去，要有你出这口价，才有他的下一口价出现。虽然王先生不是出最高价的人，但是对拍卖公司还是极有贡献。所以拍卖公司不仅会记录谁得标，他们也很重视underbidder（出价第二高的人），就像赛马比赛的第二名很重要，因为能激励第一名。

有些画廊也会利用这一招，为自己画廊的新人艺术家制造假的成交高价。只要找四个桩脚，一个人在现场举牌出价，一个人用传真书面出价，两个人用电话出价，最后创造出一个高价。然后同系列的画，原本在画廊里每幅卖三万美金，但只要拍卖会上成功制造出成交价八万美金，那么过两天画廊若将价格涨到五万美金，仍很容易销售一空。因为客人会想，在拍卖会拍八万，画廊现在只涨到五万，好便宜啊！这画廊只是用一到两张画来作价，反正等于是自己用左手买下后，左手再付钱给自己的右手，买卖双方各谈付出的佣金，就当是画廊营销的花费，花点佣金，就能将一批画成功涨价，确实划算。这种作价是很难防范的事情，专业人士也可能看不出破绽，即使是拍卖公司都未必弄得清，反正利之所趋，手段势必愈来愈复杂、愈来愈精密，游戏的规则本来就是人定的，也会由人来破解。

手法3：假成交

有些拍卖公司会制造假成交。比方说，某场拍卖状况太糟糕，记者又等着看拍卖成绩，如果让媒体报道说成交率只有百分之二十，可能在艺术市场引发恶性循环，如多米诺骨牌连倒，所以会让职员在底下举牌，让某些根本没人买的拍品，看起来依然有人出价，也在表面上成功卖出。我有一位中东的朋友遇到这件事，他拿出一幅名作给拍卖公司卖，奈何现场气氛冷淡，大量拍品流拍，拍卖公司情急之下，当场对我朋友那件名作用上了假成交。我朋友坐在场内，眼看自己那幅画拍到了两百多万，高兴得很，觉得口袋里有两百多万可以买东西了！所以接下来在拍卖进行中，就花了五十万买了一幅别的画。结果拍卖结束后，不但两百多万

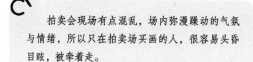

没进账，反而还倒过来多贴五十万，多买了一幅画。他是人好，不缺钱，也真心喜欢那幅五十万的画，所以还是付钱买下来；如果强硬一点，他当然也可以因为拍卖公司假成交在先而拒绝后来的交易。正常的状况下，拍卖公司接受了卖家的委托，既然号称成交，卖家理应拿到钱，如果拍卖公司假成交，是要对卖家负责的。

这里可以看出拍卖成交价对艺术家身价的影响。假设你走进画廊，问这幅画多少钱，画廊主人甚至可能回答他们还没决定。因为这位画家这几天正好有作品在伦敦进行拍卖，要等到拍卖结束，画廊才会跟客人开价。这种定价方式很戏剧化，也许这幅画本来是一千万，可是伦敦拍成三千万之后，画廊隔天就告诉你涨价为两千万，现在甚至有些大画廊也会这样做。像是2006年的春天，纽约有一场苏富比公司的亚洲当代艺术的拍卖，张晓刚某幅画创了当时的天价——九十七万美金。拍卖的同时，意大利正在举行一个艺术博览会，也有张晓刚的作品，博览会开幕那天，卖方开价四十万美金没有卖掉；但是苏富比拍完隔天，艺术博览会这幅张晓刚立刻被调到七十五万美金，而且立刻卖掉。大家也只能说，这代表市场也接受这样的游戏规则。

别被气氛情绪牵着走

拍卖会现场有点混乱，场内弥漫躁动的气氛与情绪，所以只在拍卖场买画的人，很容易头昏目眩，被牵着走。我建议第一次买画的人，可以先去展览会吸收知识，好好地问问题。刚开始进拍卖场，主要去感受气氛就好，不要鲁莽地举牌。我有些朋友因为觉得现场很有趣，也来举举看，不小心就买到了。虽然有人运气好，买到的画后来涨到两三倍，但也有人立刻成为冤大头。这种气氛多体验几次就习惯了，所以拍卖会很值得参加，多参加就多吸收经验。

在拍卖现场体验到气氛之后，感觉到你想买谁的东西，可以回家冷静做功课，看哪些画廊有在卖这位艺术家的作品。依据我的经验，市面上不会只有一家画廊在卖。尤其是网络世界，同一个艺术家，台北有画廊在卖，可能伦敦、北京也都有画廊在卖，可以试试货比三家再说。

❶ 欧阳春（1974— ），中国当代艺术家。作品色彩鲜艳，带有漫画涂鸦风格。

❷ 池龙虎（1978— ）韩国当代艺术家。创作风格大胆，擅于利用日常所见的人、事和物来创作。数年前开始利用旧轮胎进行雕塑创作，以动物作为主角，其创新而独特的风格引人入胜。

来自陈冠宇的提醒

先设预算，才不会掉进作价圈套

　　我初中时曾在马路旁边参加了杂物旧货的竞标，最后花五千块买到一组音响，回家被我爸罚跪。当时现场只感觉很多人在那边举手啊！叫啊！你就觉得跟着叫好有趣，结果一叫就是我买到。我买到了音响，可是没有钱付，他们还押着我回家拿钱。

　　新手进入拍卖场，应该感受的事情是，什么样的画是真的众人追逐？什么样的拍卖过程看起来怪怪的？在现场看节奏可以掌握一二。有些画一抬出来，起跳价十二万，大概沉默十秒钟都没有人举，这时候突然有人举，这很可能就是安排过的。为了不想让这件作品没有人出价，画廊老板可能会在现场护航。有些作价方式则很明目张胆，原本在聊天的两个人，摆明是朋友，却在拍卖进行过程中轮流举牌，互相竞争，实在欠缺说服力。既然是朋友，根本就可以私下商量解决之道，不太可能在拍卖场上杀红了眼。

　　我觉得在拍卖场里面，可以抱持着一个最高原则，也就是只允许自己在预算内买到。不一定要买到最便宜，但是超过预算，就强迫自己不再举牌。比方说，你口袋有五十万，已经分配好三十万是要买这张欧阳春①的画，二十万要买那座池龙虎②的轮胎塑猛兽；后来欧阳春那幅竞争输了没买到，如果就此把那三十万移到后面，总共用五十万去买池龙虎的轮胎猛兽，这就是超出预算了。这种情况在拍卖上并不少见，例如某个大老板准备一千万台币，却被别人用一千五百万把他指定要买的村上隆夺走。他一方面怒火中烧，不敢相信一千万竟然买不到，一方面是输给了一个很不服气的商场对手，这把火可能会在后头发泄，比如说这件蔡国强被抢走了，那我就跟你对决下一幅岳敏君①，原本的一千万就加码下去跟他拼了。所以说拍卖的现场掺杂很多情绪，不利于理性判断。

要记住，钱不一定非得在今天花掉，如果只是因为今天不愿空手而回，坚持要拎一幅画回家，很容易会用不合理的价钱买到。买画一定要照预算买，才不容易掉进有心人士作价的陷阱里。

① 岳敏君（1962— ），"中国当代画坛F4"之一。招牌作品形象为大笑的自画像脸孔。

鸡肋不会引爆激情

　　在上市公司老板当中，有几个老板会被冠上"封面"的称号，比方说姓蔡的老板，被称为"蔡封面"。因为拍卖目录印出来的时候，最珍贵、最了不起，或是这场展览中估价最高的作品，往往被印在封面上。这虽然是一个宣传手法，但大家就吃这一套，就像要用爱马仕（Hermes），就要拎锋头最劲的铂金包。封面一定最引人瞩目，所以很多出入拍卖场的有钱人，他们不问喜恶，最高原则就是买到封面上那件艺术品，称霸全场。这种事做了两三回，就会得到"封面"的称号，拍卖公司当然是张开双臂欢迎这样子的大买家。

　　有些人霸王型买家的气势更惊人，当他看中一件作品时，出价的牌子一旦举起就不再放下。他不跟你玩那种一口一口出价的游戏，他的牌子一直举着，其他竞争者不管怎么出，他永远出价比你高，没在怕的。碰到这种对手当然就不用跟他比了，只是我实在好奇，如果有两个这样的霸王撞上了，两人都死不放下牌子，是不是可以僵持几个小时？会不会把十万元的画拱到十亿元？

要投资最好别炫耀

你可以想象，拍卖现场有几十个画廊主人，一看到某收藏家手笔那么大，创下了拍卖天价纪录，当然会立刻上去递名片，从此将他奉为财神，伺候得无微不至。这本来就是"服务业"应有的态度。所以在某种程度上，拍卖场满足了部分有钱人的心理需求。就算拍卖场容易买贵，但是买贵的不舒服只扣三十分，炫耀的爽却加七十分。尽管有人喜欢躲到电话后面不露脸，然而更多有财力的收藏家还是愿意在拍卖会上露脸，这种买家使拍卖会高潮迭起。

还有一个特别有心机的小故事。某年纽约有一场拍卖，其中有幅草间弥生的巨大南瓜装置，行情价是一百万美金，但拍卖会的估价却只有三十到五十万美金，可以说是估得很便宜，表示卖家愿意用很低的价钱求现。因为估价便宜，有一位香港的收藏家就向拍卖公司登记，要出手买这件作品，他判断最大敌手是韩国的一位收藏家。因为纽约拍卖的时间是亚洲早上七点钟，韩国那位收藏家就请拍卖公司的某职员早上打电话叫他起床，他要以电话竞标。但是香港的收藏家跟这家拍卖公司的关系特别好，就压迫拍卖公司不要打电话去韩国叫起床。最后果然韩国买家就没有起床联机，而香港这位买家就用四十八万买到作品，等于不到市价的一半。事后韩国买家觉得奇怪，明明没有关机，却没接到电话；拍卖公司则说他们打了好多通，可是都转到语音信箱去了。最后事情就这么蒙混过去了。这种收藏家的意气之争很有趣，他们的财富其实不差这个钱，但就是高兴这一次千方百计捡到了便宜，下次就会好好回馈这家拍卖公司。拍卖公司为了好好抓住这位客户，也愿意在这种事情上配合一次，反正游戏本来就是尔虞我诈。

短线进出的话，请多利用拍卖会

有一种喜欢在拍卖会买卖物品的人，买卖进出的速度非常快。他们不爱跟画廊买东西，是怕会有人情或责任感的包袱，要脱手时会被画廊啰唆。永远在拍卖会买卖东西，因为没有了人情包袱，只要是知道这个艺术家已经涨价，那么就算今天才在这场拍卖会买进，过几个月就可以在另外一场拍卖会卖出，从中赚差价，不必被画廊拘束。

来自陈冠宇的提醒
稀有作品，才值得进拍卖会和人厮杀

什么东西适合进拍卖场里面买？我建议，第一个，你很难找到的稀有作品，例如参加过威尼斯双年展、圣保罗双年展的作品，到市场上很难找到。但因为拍卖公司人脉广，搜寻作品的能力比一般画廊强，所以可以找到一些稀有对象，那你就只能透过拍卖去和别的识货者竞争。杰出的拍卖公司，每次印出来的目录，确实都令人热血沸腾呀！

第二个，拍卖分布在世界各地，假设你很想买印度的热门艺术家作品，在印度买不到，或者是在印度买很贵；那么，当台湾的拍卖因缘际会地出现这位印度画家的作品，而台湾又没有太多人认得，也就没有人追逐，也许你就能用很低的价钱买到。可是，将来要脱手时，说不定也还是要千里迢迢地送去印度或识货的西方拍卖场，才会有好价钱。

艺术里的金钱游戏

搞懂玩家心理，占住你的位置

想卖画，最好要懂买画的心

我有个从政的朋友，某阵子不太顺遂，他去算命，算命师问他："你家里书桌后面是不是有一张画，里面有人背对着你？"他一想，家里真的有这么一幅画，虽是中国当代艺术的名家所画，但画中四人都背对着看画的人。算命完，那幅画就被运走了。接着我这朋友就积极寻求一幅有山的画，也就是座位背后最好靠着一座山，代表有"靠山"。

这个故事传出来之后，我想一下自己买的那些画，有背影的画作起码有四五张。对中国人来说，不管画得再怎么好看，都会联想到"背"（运气不好）。但是外国人对于背影这种画面，一点疙瘩也没有，他们没有"背"字谐音运气很背的联想，也没有靠山这个想法，所以就不认为座位背后要放一座山。可是在台湾，去参观很多商界跟政界人士的办公室，他们座位后面都放着画山的图画，可见这种画一定很有市场。

事实上，西方经典艺术品中，呈现背影的名作还真不少，你若有幸得到其中任何一幅，那是一辈子都花不尽的财富，怎么可能会"背"呀！

082

你的个人喜好是挑选艺术品的关键之一，而品位当然也会因为地域、文化有所不同。譬如号称史上最贵的当代艺术品，是英国艺术家达明安·赫斯特①做的、价值接近八亿人民币的钻石骷髅头。但是对于传统的人来说，应该多少会排斥将骷髅头放在家里，更不用说要花几亿元买下来了。

打动这群，打不动那群

喜好决定需求，需求影响价格。不论卖高跟鞋，还是卖饮料，大市场的需求，一定比小的市场更有威力，更能决定产品走向。像北京等地的大买家们，对某一时期"政治宣传"油画的强烈兴趣，就是台湾收藏家比较没有共鸣的。名画家李可染②有一幅画画的是毛泽东的家乡，拍卖时就卖到天价。最近市场上也追捧内容是画毛泽东、周恩来到处视察的油画，很多是画面被拿去制作为政令倡导的海报，这些油画往往都能卖到千万一幅。对北京等地的高官巨贾来说，这是重要的回忆，如果这类巨画

① 达明安·赫斯特（Damien Hirst，1965— ），英国当代前卫艺术家。作品多为装置艺术，常以死亡与动物为创作题材。

② 李可染（1907—1989），中国现代水墨画家。以山水画闻名。

③ 贾斯珀·约翰（Jasper Johns，1930— ），美国当代画家。利用日常物品入画，包括国旗、数字、标靶等，亦为波普艺术的重要人物。

④ 辛迪·雪曼（Cindy Sherman，1954— ），美国摄影艺术家。在成名系列作品"无题电影剧照"（Complete Untitled Film Stills）中扮成各种人物自拍，作品被认为有强烈的女性主义。

挂在公司的会议室里面，应该许多同样成长肯学的人士看见时，都会对你竖大拇指。

天安门上那张毛泽东的画像，是全世界的人到北京的观光朝圣地点，那张原稿油画一旦卖出来当然也是非常轰动的。台湾则把各地移除的蒋介石铜像集中放置在慈湖一处空地上，形成意义截然不同的奇妙景观。我们很难想象台湾企业的办公室里，会挂着蒋经国当年巡视十大建设的油画。

为什么像安迪·沃霍尔画这么多美国人才比较熟悉的名人肖像，却能让全世界的收藏家都买账？因为这些肖像已经形成符号，穿透力够强，所以东方买家也照样追捧以影星玛丽莲·梦露、詹姆斯·迪恩的肖像制成的版画。

陈冠宇提到一个最近的案例，证明这些喜好也会因时事而随时生变。美国知名艺术家贾斯珀·约翰③，他的名作就是画着一张正正方方的美国国旗的油画，台湾收藏家对他不算热衷。但是自从现任美国总统奥巴马上任，在白宫里挂上他这系列国旗油画之后，这位艺术家的市场在亚洲也突然热络起来，追寻他作品的藏家一下子又变多了。

因此，买画的人，如果是追求增值，理论上"跟随最大多数的人的喜好"是一个相对安全的原则。

一看就知道来头的，最受爱炫者欢迎

提到当代摄影艺术的时候，一定会提到辛迪·雪曼④，你去翻任何一本讲当代摄影的书，一定会提到她的摄影作品，她不断把自己扮成历史

① 杉本博司（1948— ），
日本摄影艺术家，也被
称为哲学摄影家。代表
系列作品《博物馆》、
《剧院》、《海景》分别
表述过去、片刻与永恒。

② 曾梵志（1964— ），中
国当代油画家。代表作
品为反映现代人冷漠态
度的"面具"系列。

③ 杰克森·波洛克（Jackson
Pollock, 1912 —1956），
美国抽象派画家。创作
特色是直接利用画笔将
颜料随意滴洒在画布上，
不具任何逻辑与线条。

或文学中不同的在性别角色上有含义的人物，然后拍照。有时候扮童话主角，有时候扮特定阶级，有时候扮家庭主妇，有时候扮电影明星。

东方买家看她的照片，可能会觉得不舒服，易容得不是那么好，鼻子怪怪的，脸颊肿得很假。我们不知道她扮家庭主妇代表什么，不知道那可能是美国杂志内促销广告的典型受害者。当代艺术里面的信息愈复杂，文化隔阂就会愈多；不像是日本摄影大师杉本博司① 拍佛像、拍海、拍空寂，可以让东方收藏家容易投入。况且，辛迪·雪曼是一个非常女性主义、讲究女权的艺术家，也许男收藏家未必认同她要传达的信息。然而当她的作品变成某种程度的经典，那么一位讲究收藏系统、有学术企图心的收藏家，就会抛开个人喜好，乖乖买进雪曼的摄影，追求收藏的完整有序。

有一位韩国收藏家很喜欢曾梵志② 的画，他在90年代末期陆续买了四到五张挂在家里。但是他妈妈不能认同家里挂着这么多冷漠苍白的戴着面具的脸，这批曾梵志画作就被母亲大人取下来丢到仓库去。一直到曾梵志的作品件

件不断拍出天价，他妈妈才想起家里仓库好像有类似的东西，于是毫不犹豫地拿出最大的一张，挂在客厅的墙上。这时候，这位妈妈已经把她的喜好丢到一边去，因为这时候这些画作变成了可炫耀的奢侈品。另外，像陈冠宇热爱的电影《钢铁侠》一开头，男主角在床上醒来的时候，美丽的女助理进门问他："伦敦的画廊问你还要不要买那张杰克森·波洛克③？"杰克森·波洛克是美国著名的大师，作品要上千万美金。结果睡眼惺忪的男主角回答："我需要，赶快买下来放到仓库去。"堂堂钢铁侠大军火商，什么没有？却仍然"需要"一张波洛克的画！因为名画是身份的证明，这时也不必问个人喜好了。

买卖未来趋势，得让品位跟上时代

陈冠宇提醒：大家都已耳熟能详的热门作品，价格已经上涨到一个程度。如果要投资，则要判断它的未来价值，现在的热门，并不见得是未来的热门！真正有眼光的人，能够试着眺望几年后的市场喜好，才有办法提早进场买画，这跟所有投资道理是一样的。

有个台湾收藏家，买了十几年的画，他的小孩早已上了大学，他就说："我从今天起将买画的决定权交给小孩。"他不想再用自己的眼光去找下一代的明星艺术家，而是依据儿子的眼光来挑选，他判断儿子的眼光更贴近未来富豪的口味。果然，他小孩从大学到研究所那几年替他挑画的结果，准确率非常高，这是一个很有胆识的实验。

来自陈冠宇的提醒
拨小部分钱练胆子、练眼力

　　我建议在购买艺术品的过程中，你可以从投资出发，跟着大家走，但这很无趣，也永远培养不出自己的眼光。所以我也建议你至少能拨出一部分的金额，用来买自己真心喜欢的作品，用来考验自己的眼光，看看能不能从还没被市场追捧、价格还低的作品中挑到宝。只要你的功课做对，大方向抓稳，这些因为喜好而买的作品应该报酬率也不会差。

果然是游戏，玩具也能涨十倍

在英文里，公仔被称为"设计师玩具"（Designer Toys），有人说收藏公仔的人，是还没长大的大人。三四十岁了还喜欢玩具，买一些限量版的昂贵公仔，给自己一个离不开玩具的堂皇借口："这是收藏哦！"我有个朋友专门收藏公仔，有一天他在拍卖网站eBay上看到香港的店在预售奈良美智的公仔"Sleepless Night"，就是有名的失眠娃娃，两只眼睛瞪大大的，坐在小板凳上睡不着，限量三百只，每只都附奈良美智亲笔签名。他觉得很可爱，一只预购价大概一千美金，不是贵到受不了的地步，所以他就跟香港的店订了两只，还可以打折。大约一个月之后，公仔上市了，两个月后，这批公仔市场价从一千美金变成一万美金。现在已涨到一万五千美金，还在继续上涨中。

这个案例很特别，卖公仔的店，没把公仔当做艺术品来卖，公仔就是公仔。限量三百个，在公仔界也不是什么特别的事，我朋友也是以这样的心态订购的。可是买艺术的人，看到奈良美智的三百只公仔，却把它当做版画看待，这么可爱的版画竟做成立体的？同样价钱根本买不到奈良美智的限量签名版画啊。所以，这批失眠娃娃公仔马上一物难求，店里再也买不到，只能在艺术拍卖会上买，就这样飙出了一万美金的价格，这又是一件在我们眼皮底下发生的例子。

陈冠宇有一个女生朋友很爱买名牌包包，她去东京逛街，看到银座 Salvatore Ferragamo的旗舰店在预售一款草间弥生设计的包包，价钱比同品牌的经典款式贵一点点，预售价大约三万人民币，限量两百个。她想说买了就能打败很多贵妇，就付钱订了下来。这款包包是一只大包，里面又装了一只小包。后来包包到手，她拎了两个月，拎够了，就把大的包用五万卖给眼红已久的朋友，小的包则另外又卖了两万。总之她不但拎了两个月，还马上净赚几万元。

以上这两位朋友，一开始并没有打算投资，他们唯一的优势，就是识得草间弥生和奈良美智这两个名字，懂得"限量版"的威力，也懂得先下手为强。

人民币三万够入门了

假设今天你存到人民币三万元，要入手第一件作品，应该怎么买？以买西画为例，同样的内容、同样的尺寸，只讲原则，不讲特例，最贵的是帆布上的油画，其次是纸上的水彩，再来是纸上素描，最便宜的是

年轻艺术家作品愈来愈多元，入门买艺术，
门槛没有想象的高。

印刷的版画。以增值为出发点，如果你能承担较高风险，可以用三万元买一张新进画家的油画；风险承受度较低的人，就用每张一万元买三张绝对有人愿意接手的大师所做的版画。

选择1：买一张新进画家的油画

花三万元买油画，只能买到未成名的新艺术家的作品，全世界可能有几十万个新人画家，要等你选的这位脱颖而出，命中率极低。当然，如果押对宝，报酬率会比大师的版画高很多倍，三万元可能会变成一百万。陈冠宇形容买这种画，有点类似买新创业小公司的股票。

要提高命中率，建议可以通过拍卖来挑选新艺术家的作品，因为如果佳士得、苏富比是你相信的拍卖公司，旗下的权威专家愿意在茫茫人海中，挑中这些新进画家的作品进入拍卖，总是有他们的理由，可让你放心一笑。不管是哪种理由，起码他们的理由，会比你的理由，再专业一些。

选择2：买三张知名画家的版画

如果你不想因为花大钱买画让自己变得太紧张，可以考虑价位很低的版画，但重点是要买大名头的艺术家。陈冠宇把这种投资比喻成买绩优股。

奈良美智的版画，在很便宜的时候，曾经一张只要三四百块美金，现在涨到三四千块美金。20世纪90年代，安迪·沃霍尔的版画，一张两三千美金，到现在也价值一两万美金了。讲一个眼前的例子，此刻最大的名头是村上隆。一般来讲，最容易买到的一种村上隆的版画，版数是三百版，三百张都是从一个版印制出来的，当然都长得一样，如果你买到其中一张，上面会有村上隆的签名以及"三百分之一"、"三百分之二"这样的编号。现在价格大约一两千块美金，较有积蓄的上班族应该可以负担得了。如果你现在买一张村上隆的版画，第一，压力不大，不赚也吃得消；第二，画面多半很漂亮，不会长得像鬼一样让你挂不出来；第三，依据奈良美智或安迪·沃霍尔作品的经验推估，可以合理预期几年后能有一定的增值。

小心一产再产的"假限量"

很多人会觉得限量三百张会不会太多了一点？有很多版画是真的被买来装饰用的，挂墙上没有太多顾忌；不像是油画，被可乐洒到或被小孩撞到，很心痛。因此三百张版画当中，可能有两百多张是挂进收藏家小孩的房间，很久都不会拿下来了，等于就不再流通了，所以最后在市面上流通的可能只剩五六十张，不至于到处都是。

❶ Kaws（1974—　），美国涂鸦艺术家、潮流玩具大师。Kaws与一般人在墙壁、地铁、火车上涂鸦不同，他在广告画或海报上加上自己著名的涂鸦图案，被称为"涂鸦怪盗"。

❷ 杰夫·昆斯（Jeff Koons,1955—　），美国当代艺术家。作品特色为色彩艳丽的公共艺术，将花木制造为巨型梗犬的雕塑为其重要代表作。

而且，有信用的艺术家的版画不会号称三百版，结果实际推出五百个。所有限量品都是有编号的，奈良美智那个失眠娃娃，每盒都附了一个木牌，载明编号；草间弥生与Ferragamo合作的包包也有附证书，证明你买的是两百个包包中的第几个。有些摄影家对版数的控制比较放松，某个尺寸的冲印了十五版以后，过几个月换个尺寸，又冲印十五版，这种事如果重复很多次，难免影响收藏家的购买意愿，会觉得根本不是真的"限量"，也就导致售价只跌不涨。

这个时代，爱漂亮的小朋友真的比较注意美好或有趣的事物，也就比较知道艺术家的名字，通过浴巾杯组、滑板公仔，知道Kaws①、知道杰夫·昆斯②；便利商店里卖的设计杂志，信息既快又便宜，网络上介绍设计、潮流的微博或博客也很多，只要心态开放，基本的艺术修养很容易就比上一辈丰富许多。我们可以看到当代艺术普及到生活用品、男鞋女鞋，年轻艺术家的作品愈来愈多延伸为用品，收藏族群从金字塔顶端一直往下移。要入门买艺术，门槛没有想象的高了。

来自陈冠宇的提醒

买画能不能分期付款?

　　原则上画廊没有提供分期付款，但我在美国念MBA的时候，曾在纽约的画廊分期付款很多次。因为20世纪90年代初期，艺术市场没有那么蓬勃，画廊存画的去化速度没那么快，对画廊主人来讲，反正摆在那半年也卖不掉，不如同意分期付款。我有一次是买一万多块美金的画，分半年付完，隔了十年，这幅画被估算行情价已涨到三十万美金。

　　如果你真心要分期付款买一件艺术品，还是可以跟画廊商量的。画廊主人衡量的标准，理性的部分，可能会取决于你是不是他想培养的收藏家；感性的部分，就是你对这艺术品的热爱程度。他可能被你三番五次拜访的热情感动，就让你分个十二期，反正付完了才会让你把画带回家，对画廊来说也没有风险。倒是你也要提防会不会你付了九成的款，结果画廊倒了，人去楼空! 毕竟这世上，什么样的人都有呀!

❶ 齐白石(1864—1957)，中国画家和书法篆刻家。其画、印、书、诗，人称四绝。

玩游戏当然需要本钱

世人经常有"艺术不应该跟钱扯在一起"这种想法，可是，如果你听过张大千的故事，就知道张大千是一个非常懂得顾客心理的画家。他刚出道的时候，曾经玩过一个促销游戏，他约了另外一个画家到公园里面比赛卖画。双方每幅画的画价都一样，但是买画的人必须抽签，抽到第一号的顾客就先选画，抽到二号就第二个选。所以，抽到愈前面号码的人，可以愈先挑他们喜欢的画。这手法涵盖了宣传跟优雅赌戏的成分，也一点没伤害张大千在艺术上的崇高成就。

另外一位国画大家齐白石①，走进他的画室，可以看到逐年更新、与时俱进的定价单，当时的画价叫做"润笔"，意思就是弄湿毛笔的费用。比方说，请他画萝卜的润笔费要多少钱、画老翁润笔多少钱、画小鸡润笔多少钱，也可以要五个萝卜配三只小鸡，就照着单子搭配算价钱。现在讲起张大千、齐白石，好像都是高不可攀的大师，留着白胡子整日冥想艺术的真谛，可是，其实他们都很明白：不赚钱的话，艺术之路就会无以为继。

陈冠宇想起他看过荷兰艺术大师伦勃朗① 的某部传记电影，他在帮人画肖像，帮军队画，帮家庭画，帮贵族画，也是按规定计价的。一个人头多少钱，穿上这种衣服多少钱，全家福多少钱，五个人以上打几折，这也是做小生意，而他后来在艺术史上，还是成就非常高的地位。我们耳熟能详的毕加索，也是一位有生意头脑的艺术家，当时有很多画商要买他的画，他就把三个画商约在同一时间。先带一个人进来选了几张画，等第二个人进来，就告诉对方，刚刚第一个人买哪几张、出什么价，逼得后面选画的画商，为了抢画，只好一直提高出价。毕加索这么会自抬身价，他在美术史上的地位照样也获得很多人尊崇。市场跟学术相辅相成，是艺术史上常见的事。

艺术家不会经营自己的话，找个好经纪人

所以，艺术学校里的老师，不一定要那么忌

① 伦勃朗（ Rembrandt van Rijn, 1606—1669），荷兰画家。其画作题材广泛，擅长肖像画、风景画、风俗画、宗教画、历史画等。

讳商业的话题，因为在真实世界里面，艺术家有没有商业判断还是有影响的。艺术市场是钱汇集的地方，一样有它的产业链。商业运作可以支持艺术家创作，相反地，也有很多具有艺术天分的艺术家，不愿或不会把艺术转为金钱，也没有经纪人协助，最后只好放弃创作了。

如果一个行为艺术家，很勇敢地创造轰动的、开创一时风气的行为表演，却没有把它记录下来变成可以交易的照片或影像，他会比较难在金钱上有所收成。艺术系的学生当然不该受金钱摆布，可是学校可以让学生知道，成功的艺术家背后，确实有某些商业的手法在发力。努力达成企业化经营的村上隆就是一个代表，他不以商业运作为耻，甚至写书教大家怎么做。

我曾经碰过一个好画家，画好到令我跑远路特地去拜访。当时去了他的仓库，承蒙他拿出很多画给我看，他聊得很愉快，我很想要一次买十张，可是经过考虑，我一张也没有买。因为这位艺术家安逸地在乡下隐居，很享受田园的生活。虽然他没有显露出反商的个性，可是显然也并不向往艺术的名利场，也不愿和任何懂经营的画廊签约。我虽喜欢他的画，但想到一旦买下，就必须永远储存，或者免费送人，却没办法在欣赏够了之后，把它们换成别的画，我就迟疑了，就买不下手了。

很多在西方成名的华人艺术家，都曾经积极地找画廊展出他们的作品，张洹也好，蔡国强也好，都曾经带自己的作品去拜访画廊，实在很难指望现在还有哪个画廊会主动寻到台湾的深山里三顾茅庐。

艺术家逐步垫高自己的作战计划

已经有光芒的人，如何判断他是否会更进步？可以看这位创作者有没有让自己越登越高。比方说，大导演张艺谋拍了一部很卖座的电影，他下次会做更复杂或更盛大的事，他拍《英雄》或《十面埋伏》，学到很多以前接触不到的东西；接下来他在北京城做歌剧，又做奥运开幕典礼，一直尝试新东西。周杰伦出完唱片，导电影，导完电影去拍电视剧，去好莱坞演《青蜂侠》。他会一直争取跟更大、更高的对象合作，尝试不同的经验，挑战自己，这些都可以看出一个创作者的企图心。

我在主持电视节目的同时，依旧在写书，2010年开始，我有机会和国际鞋业集团合作，推出以我的"蔡"姓cai为品牌名称的高跟鞋及女靴，并且逐步把cai这个品牌推广扩大。另外，我也努力推出我的电影系列。所以我近来忍痛推掉很有趣的节目主持的邀约，连金马奖典礼的主持都尽量让给其他优秀主持人。并不是我不喜欢主持人的工作，而是我的经纪人不断提醒我，要尝试不同的高度，见识不同的视野。

观察一个艺术家，有没有由小画廊慢慢移向大画廊；有没有从十八个人的联展，进步为三个人的联展，然后终于成为一个人的个展。这都可以拿来看艺术家或他的经纪人，有没有努力垫高它的高度。

被签进纽约一流画廊的张洹，最早的成名作《为无名山增高一米》，是一伙男女艺术家互相约了，全裸叠在一起，帮那座山增高一米。拍下了中国当代艺术史上具有里程碑意义的经典照片。

当时参与的都是艺术家，在一旁拍照的也是艺术家，叠在那里的也是艺术家，张洹只是其中之一。但张洹可能起跑最快、最有效率地利用天时地利人和，创造一次又一次的话题跟曝光，包括一个人脱光了静坐在公厕被苍蝇叮、在身上贴满厚重的牛排走在纽约街头，这些苦修式的行为表演，都让张洹不断地吸引更多目光。

懂得战略思考，才能称霸一方

很多人认为大导演王家卫是艺术家天性，因为有非说不可的强烈能量累积在体内，终于有一天像火山爆发化成电影，所以作品里有如此浓厚的个人风格。有一次我访问王家卫时问他："你是因为累积了强烈能量后爆发，让你拍出了《旺角卡门》、《重庆森林》吗？"他却回答："不是，这是我的战略。"

王家卫说，在香港当编剧一段时间后，他发现搞笑的电影有人称霸，动作片有人称霸，帮派片也有人称霸，唯独空了一个艺术电影的类别没人拍，所以他审时度势，勇敢开拓艺术电影在香港的可能。果然出来以后，大家就对王家卫鞠躬，这一块就被他占领了。他是经过了思考跟观察，才决定走这条路。这是战略，可是没有人会觉得《2046》或《花样年华》不够厉害，使用战略常是大师级创作者的制胜前提。

刘丹，除了画技慑人之外，有意识地对中国水墨进行了显微镜式的微

① 克洛斯（Chuck Close, 1940—　），美国画家。以鲜艳的绘画结构和生动的画法为特征。
② 徐冰（1955—　），中国当代艺术家。以中国文字为创作基础，代表作为《天书》《地书》。他创造的《新英文书法》，更将英文字母转化为汉字笔画，并获得有"天才奖"之称的美国麦克阿瑟奖（MacArthur Fellows）。
③ 陈丹青（1953—　），中国著名画家、文艺评论家。代表作为《西藏组画》等。
④ 刘小东（1963—　），中国当代艺术家。主要创作写实派的油画，代表作为《三峡新移民》。
⑤ 严培明（1960—　），华裔旅法画家。作品以巨幅黑白肖像为主。
⑥ 陈箴（1955—2000），中国当代艺术家。25岁得了溶血性贫血的陈箴，对生命与时间的价值观有着深刻的认识与反省。

物探索，对比于美国名家克洛斯①把人脸以粒子的方式，进行几百倍的放大绘制。刘丹选择绘制中国古代文人收来玩赏的奇石，对奇石多面向的微粒分析，再放大千百倍呈现，撼动了西方人对于中国传统水墨写意笔法的刻板印象，塑造出深具当代气氛的水墨全新面貌。他跟蔡国强、徐冰②，用的材料都非常东方，文化冲突的信息也很丰富，这里面同样很有战略思考，那是一种"我要在欧美主导的当代艺术界发出独特声音"的战略思考。

从创作材料来看，油彩是西方人的武器，欧美有悠久的画油画的传统，中国人要拿油彩出国比赛，除非厉害到像陈丹青③、刘小东④、喻红、严培明⑤这样，才会被另眼相看。相对来说，蔡国强用火药的时候，则凸显了是"我来自发明火药的文化"；徐冰用活版印刷，凸显了"我来自发明活版印刷的文化"；刘丹的当代水墨，或者，陈箴⑥的古家具装置，也都凸显了"我所来自之文化，有丰厚的极古的文明累积与审美传统，供我挥洒"。

艺术先进国的馆长们，
也在竞赛谁先创造新话题

这些艺术家的战略很准确，因为艺术先进国的策展人和美术馆馆长都想创造新趋势，想找能够让业界和观众眼睛一亮的新风格。

有些画家说："怎么我就没落了呢？"其实不是他的艺术不出色，是时代的节奏不同了。张大千的哥哥一直画老虎，当时大家盛赞他为虎痴，非常有名，可是现在，手机、电玩、计算机，都按季推陈出新，一个画家一辈子就画老虎，可能就掩盖了他的创作能量。日本年轻艺术家名和晃平⑦是明日之星。他把做成标本的牛头或鹿头，在表面镶满了巨大的透明玻璃珠，呈现一种晶莹剔透、空灵的圣洁感，里面包裹的却是死亡。而当大家赞赏这个风格时，名和晃平又改用其他材料去包覆动物标本了。

艺术圈总是有新趋势，家具可以变成艺术，动画也可以变成艺术。2005年纽约MOMA现代美术馆整修后重新开幕，他们希望推出的第一

⑦ 名和晃平（1975— ），日本当代艺术家，京都大学艺术博士。最著名的作品是以玻璃珠包覆物体的Pixcell系列。

个展览，不再是狭义的艺术展，而是能让群众很兴奋排队来看的展览，于是推出"皮克斯动画二十年"（*Pixar：20 Years of Animation*），结果大轰动。不仅展示了改建后的美术馆新态度，更吸引好多从来不进美术馆的人，进来看《玩具总动员》，看《超人特攻队》的各个制作环节。你说有一天《玩具总动员》里那个巴斯光年不会变成艺术品吗？只要有人拿出来拍卖，也许有一天它会被当成经典雕塑一样对待，有一天可能会拍到天价。因为看《玩具总动员》长大的新一辈有钱人，未来很有可能会花大钱，把一座三层楼高的巴斯光年雕塑带回他的城市，竖立在他的办公大楼的前方。

❶ 杉户洋（1970— ），日本艺术家。2000年获得名古屋城市艺术创新奖。曾经做过奈良美智的学生。

❷ 林明弘（1964— ），当代艺术家。将台湾民间艳俗花布图案放大，使用乳胶漆涂绘于展出空间的墙面或地面，成为他的独特风格。

打造艺术明星，有三招常见方法

从默默无名的艺术家到成为明星的过程，也需要艺术经纪人推波助澜，最常见的方式有以下几种：

艺术家造星术1：大带小

第一个是"大带小"，也是娱乐圈惯用的方

> 艺术品价格几乎建立在它的文化价值、历史地位，以及多少人追逐上，没办法从成本来判断。

法。假设有个颁奖典礼，邀请小S出席去领最佳女主持人奖，小S的老板为了要提携新人，会跟主办单位说："我们小S可以去领奖，可是你也要帮我们提携新人，所以我们新人要跟在小S后面走红地毯，也要被访问。"这样大带小，原本靠自己没办法出席的新人，就得到一个曝光的机会。

所以，画展会办"联展"或"双人展"，有些就是一个大画家带一个新画家；来看大画家的收藏家，就会顺便看到新画家的作品，新画家的履历表则会添上跟大画家一起展过的经历。此外，"共同创作"也是一个方式。日本代理奈良美智作品的小山登美夫画廊，旗下另有一位比较年轻的艺术家杉户洋[①]，因为奈良美智是该画廊最著名的艺术家，于是画廊就安排了奈良美智跟杉户洋共同创作，让大部分收藏家或艺术机构也顺便注意到杉户洋。

艺术家造星术 2：跨足时尚

村上隆在国际扬名立万，很大部分是因为他与精品品牌LV（Louis Vuitton）的合作。他不是唯一一个跟LV合作包包的艺术家，但他为LV设计的包包是最受欢迎的一款，从此也促成更多艺术家跟时尚圈合作。

艺术家林明弘[②]是雾峰林家的后代。前几年LV在台北的盛大活动，中正纪念堂的建筑物表面被投影上巨大的花朵图样，就是林明弘的作品，他也受邀帮知名彩妆品牌植村秀设计产品的盒子，让这位艺术家更受到瞩目。

我自己的cai品牌，在推出不同的时尚产品时，也会尽量找创意出色的新人艺术家合作设计，希望借由实用的产品，让新人艺术家的画作，被更多人看见，也希望借此为艺术家增加收入。

艺术家造星术 3：跨领域合作

蔡国强办过金门碉堡艺术馆活动，他选出金门的十八个废弃碉堡改成临时的美术馆，又找了十八位华人艺术家，其中包括了在纽约很受瞩目的杰出艺术家李明维①、大导演蔡明亮、旅日写真女星垠凌，以及电影《卧虎藏龙》的奥斯卡得主音乐家谭盾。不同领域的名家，果然碰撞出不同的火花，吸引到不同族群，创作者们也彼此拉抬了声势。

除了以上三招之外，画廊还有很多其他的战术，像是通过媒体做宣传、请评论家为艺术家写评论，甚至是租原本租不到的美术馆办展览。有些看起来挂着官方名称的美术馆，容易被认为是官方机构，但它可能还是可以出租给画廊，出租的展览期也许很短，短到只有一个礼拜。但有些经纪人还是会不惜成本通过租的方式，借此帮旗下艺术家的履历添上一笔，比方"某某年某月，曾于某某美术馆展出"。履历这样列出来，就很容易被认为是受到官方认可，巧妙为艺术家增添光环。

不论用什么手法，擅长塑造明星的画廊，应该是艺术投资者比较"感兴趣"画廊。

① 李明维（1964—　　），长年定居纽约，以哲学意味浓郁的观念艺术赢得世界瞩目。

　　过去的社会节奏慢，一个艺术家创作三十年，可能都在同样节奏的环境下生活。可是现在，每个时代差别甚巨，互联网让大家的国际交流愈来愈多，大家的眼界也不同。而艺术是在反映社会、审视人类的处境，社会变动那么快，如果没有办法跟上节奏，有可能就会不能反应，不能省视，也不能跟社会产生互动。

　　台湾的股票投资人常讲"一代拳王"，有些IC设计公司生产的某款芯片上市了，卖得很好，可是没有推陈出新，很快就被淘汰，这样的例子很多。联发科为了打破一代拳王的魔咒，不断地往前追逐，开拓新的产品线，跟上新的趋势。艺术家面对的挑战也一样，创作的过程里面，可能某个阶段成名了，但是如果没有继续有策略地发展，也许也会迅速被淘汰。日本艺术家名和晃平在制造水晶球标本之前，用半透明方盒做出盒中幻影般的3D动物，几年下来得到很高的评价，市场供不应求，可是他没有局限于此，而是再尝试开发新的作品形式。也许会受好评，也许会被冷淡对待，但是为了突破，一定要有试图跨越的斗志。愈是让你看到这股斗志的艺术家，你愈该密切注意他的发展。

"有深度"或"受欢迎"你选哪个

　　陈冠宇说了两个故事：一位印度尼西亚收藏家，20世纪90年代末期被一个朋友欠了笔钱，这欠债的朋友手边也有些画，就请债主看图片挑一张画来抵债。这个收藏家看了看印出来的图片，就挑了一张岳敏君，四米左右的画，抵掉了一笔四万块美金的欠债。助理直接把画运去收藏家的仓库放着，拆都没拆开来看过。直到2007年，中国当代艺术非常热络，一家大拍卖公司找上印度尼西亚收藏家，希望他把一些画拿出来卖。他想想仓库那么大，就请拍卖公司自己进仓库随便挑。拍卖公司一发现这么大的岳敏君，哇！梦寐以求！当然选入拍卖，后来拍了三百多万美金。

　　第二个故事是一个日本上班族，1996年的某个周末，他跟着公司长官去逛画廊，看到奈良美智的画。因为他口袋没很多钱，就挑了一张两三千块美金的小作品。他的长官要升经理了，特别挑了一张两万块美金、又大又漂亮的奈良美智油画。礼拜一到了公司，长官很痛苦地对他说：

"我老婆要跟我离婚。"为什么？"她说我一个月才赚多少钱，竟然周末去逛街就花了两万美金，她说不想跟这样的老公在一起，没有安全感。"那么长官要拿去退吗？当时可是杀价杀了半天，退货很没面子，于是这位属下答应用分期付款买下来，顺利解决了长官的烦恼。结果，这张画放了十一年之后，他通过拍卖公司卖到纽约去，原本两万块美金买来的画，竟然卖出了九十九万美金。

这两件作品，为什么卖得这么好？因为，挑对了艺术家。十几年下来，这两位艺术家的市场地位与学术地位一路上扬，自然会有许多买家追捧。

受欢迎的艺术品流通性高，是投资首选

市场地位是指市场上的流通性，也就是"受欢迎"的程度。学术地位则是学术上的"重要"程度，例如艺术家有什么大型学术展览记录，有什么重要评论家对他作过论述，有什么重要机构或收藏家收藏他的作品。只是，市场与学术，有时会存在着差距。

比方说，去图书馆看艺术史研究所学生写的论文，里面提到的画家很多是没人听过的。这跟观众去看电影一样，不太会把欧洲大影展得奖的片子当成休闲的优先选择。

学术地位崇高的大导演，像侯孝贤、蔡明亮、阿托姆·伊戈扬（Atom Egoyan）、拉斯·冯·提尔（Lars von Trier）等，他们在市场上也常会

遭遇严酷的考验。学术地位跟市场地位的差距，本来就存在很多领域。

陈冠宇以投资立场，会劝入门者优先考虑"受欢迎的画家"。想想你要脱手时，比较多人感兴趣的，总是比较有把握能顺利脱手。太过象牙塔里的品位，可能很适合大美术馆，但大美术馆买艺术品的便利渠道多的是，不太需要到市场上和一般人抢，也就对市场价格的拉抬没有太大帮助。

形式特殊的作品难收藏，
限制市场流通性

那么，学术地位与市场地位兼具的当代艺术作品，是怎么形成的？翻开西方人讲中国当代艺术，一定会提到中国当代艺术的F4：张晓刚、岳敏君、方力钧①跟王广义②这四位知名画家。他们不只有市场地位，稍微用功点的艺术爱好者，如果在20世纪90年代去翻阅几本当时介绍中国当代艺术的书，很容易看到F4的身影。如果有勇气在当时买了这四个人的油画，

❶ 方力钧（1963— ），"中国当代画坛F4"之一。笔下的"光头"形象为其著名特色，作品表达个人隐藏在集体生活下的迷惘。

❷ 王广义（1957— ），"中国当代画坛F4"之一。将"文革"宣传画加入商业视觉元素的"大批判"系列为其代表作。

❸ 谢素梅（1973— ），出生于卢森堡，父母均为音乐家。她的作品主要是结合雕塑、录像、摄影、声音等多媒体的装置作品，多探讨感官、声音、时间和记忆。

❹ 谢德庆（1950— ），当代行为艺术先锋。旅居美国，在纽约发表代表作《一年的行动艺术》，各以一年为单位，共发表了五次作品。

日后可以得到几百倍的回报。只不过，这里提醒一个环节，油画毕竟很方便流通，有些很重要的作品形式比油画难流通，也就比较难收藏。

举例来说，艺术家李明维，他的学术地位一直在上升，可是市场上几乎没有他的作品可以买卖。他曾经做了一系列的作品"檀城"，用的是藏传佛教里的沙画概念，用彩色的沙洒在地上创作。在美术馆展览时要细心地洒很久，因为彩色的沙都要小心放在他规划的范围里，展览结束后就清扫干净，不能贩卖，也无法收藏。经常受邀来台北的艺术家谢素梅③，曾经得到威尼斯双年展最大奖，可是她的创作品是录制的影像，买的人也比较少；因为较少人愿意只买一张光盘，再安装投影机来把影像播放在墙上。

前一阵子台北也曾经邀请一位艺术家，做了一个大概三四层楼高的机器，模仿人类的胃肠，你可以把食物从机器入口丢进去，经过这个机器一连串作用之后，最后会从这个机器的肛门排出粪便来。可是它常常故障，最后就会拉不出大便，体积又巨大，实在很麻烦。美术馆可能觉得这传达了某一种理念，可能具有学术地位，反正美术给的任务不是投资获利。但这样的艺术品，在市场上比较没有办法流通。

行为艺术也可以在市场流通

台湾有一位祖师级的行为艺术家谢德庆④，他受到的瞩目不算多，却是华人当代艺术的创作先锋。他有一个作品是把自己囚禁一年，不与外界交谈，也不阅读、不看电视，还请来律师见证。他在自囚期间，每天固定用打卡机打卡，从不间断。他是许多华人当代艺术家很尊敬的一号人物，可是他留下来的不是作品，只有当时记录的照片，还有一批是他在囚禁自己的那段时间，在墙上每天刻上一笔痕迹的画面，所做成的版画。那批版画几乎是市场上唯一能够买到、能代表谢德庆理念的作品。

同样是行为艺术家，曾在纽约发展的艺术家张洹，却能同时拥有学术地位与市场价值。我最早在拍卖目录看到的张洹作品是照片，一张是许多人裸身站在一个大水塘中，想要借人体入水来升高水位；另外一张则是他本人在纽约户外，裸身躺在一块大冰块上。张洹把他的这些表演拍成相片，并且限制版数。比方说，只冲印并签名十个版次，所以每个买到的人，就拥有十分之一，这样就是可流通的艺术品了。这是当代艺术里，"摄影"这个类别的惯例。

再讲一个夸张的例子。市场上流通着一

 皮耶罗·曼佐尼（Piero Manzoni, 1933—1963），意大利艺术家。他的大便罐头被当成顶级艺术品收藏在纽约现代艺术馆。

批大便罐头，是意大利前卫艺术家皮耶罗·曼佐尼①做的罐头，里面号称是放了他本人拉的大便。拍卖目录上偶尔会看到这批罐头，数量据说限量九十个。2007年，编号第十八号的大便罐头，在米兰的苏富比拍卖会上，卖出十二万四千欧元，堪称奇货可居，反正只要有人卖出，就有人买下。

来自陈冠宇的提醒
学术地位也能增加光环，为艺术品增值

　　虽说"深度"和"畅销"往往不能两全，但其实在艺术市场上，学术地位也可以是一项重要包装，投资者不必一味把作品的学术地位当成反指标。

　　价格的高低，决定于供需关系，学术地位也能创造认同，有助于它未来的升值空间。回顾中国当代艺术家F4——张晓刚、岳敏君、方力钧跟王广义四位的成名过程，是在90年代参加圣保罗双年展、威尼斯双年展，先有学术地位，才产生市场流通性。当然国际间当时对中国的热切瞩目，是这四位所占"天时"的重要关键。至于其他艺术家是先有学术才有市场，或是先有市场才有学术，就有各式各样的故事和操作方法了。

　　如果你是用功的买家，要了解某位艺术家在艺坛上的学术地位，可以去了解他曾参加哪些重要的大美术馆展览、大型双年展，或是获得哪些大型学术竞赛奖项，例如英国的泰纳奖（Turner Prize）等，这些信息都可以从特殊的艺术媒体或网络取得，作为你选择的参考。

蔡国强制作了一批全身中箭的老虎，老虎看起来仿佛生命力被箭激发到了顶点，箭身看起来很像生命爆炸时四射的火光。

蔡国强邀蔡康永一起参加台北当代美术馆的Trade展览。这是我第一次做艺术,我们两人站在刚炸完的一百多张废弃钞票前面。

Trade展览的主题,是"交易",也是"交换",所以我不但和蔡国强交换身份,成为做艺术的人,而且我们也把"交易"这件事,贯彻到整件作品当中。不管是爆炸的过程广邀媒体来参观作促销,还是把炸出来的六十六件《招财平安符》拿去购物频道叫卖,都是整件作品中的某一个环节。

台北市立美术馆承接在国际知名的古根海姆美术馆之后，举办蔡国强的大型回顾展，展览找了林志玲和我做代言人。照片中志玲坐中间，蔡国强和我分坐两边。

六十六件《招财平安符》中间的一件，每件都由蔡国强用水墨签名。蔡国强说他很喜欢水墨的感觉，很像爆炸之后，渐渐弥漫开的烟雾。至于为什么废掉的旧钞，炸过以后却能"招财"呢？哈哈，当然是因为人生的财富呀、爱情呀，都是"旧的不去，新的不来"，所以除夕送走旧的一年，才大放鞭炮烟花呀。

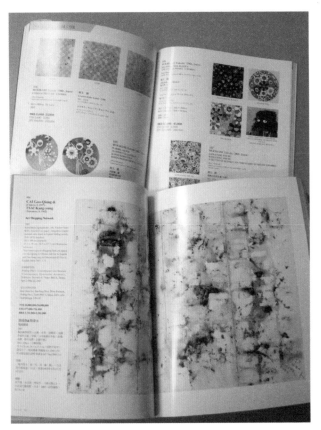

艺术拍卖的目录，打开就长这样。前面那本是Ravenel公司2009年6月在台北那场拍卖的目录。当初炸过的钞票被拿去做成《招财平安符》，而铺在钞票底下的日本纸，布满了火药燃烧的痕迹，被做成了大屏风，和六十六件《招财平安符》一起在台北当代美术馆展出。展览结束后屏风被买走了，后来就出现在这场拍卖中。我不知谁卖的，也不知谁买的。

至于后面那本，是EST-OUEST公司的某场拍卖目录，可以看见这两页有很多张村上隆的版画。版画相对价格较低，所以每件占的面积很小，不像蔡国强一件作品就占掉目录的两页。

术里的金钱游戏

我手上拿的是村上隆版画的"New day新生活"系列，是村上隆为了
慈善推出的作品，鼓励灾后的人们展开新生活。我买了几张，一方面
支持村上隆的善举，一方面放着送好友们当结婚礼物。好友们收到都
很高兴，又能装饰新居，意义又特别，又能迅速增值，很适合庆祝他
们展开人生的新阶段。

村上隆找我去日本，看他为了提拔新进艺术家办的大展。他碰到我，就会
签名送些他工作室做的小东西给我。

村上隆的花朵雕塑，陈列在法国的
凡尔赛宫的落地窗前。如果你去东
京的六本木之丘逛，也会在广场的
地上看到无数这样的开心花朵哦。

村上隆创造的人物，站在凡尔赛宫
金碧辉煌的门前，既有文化冲突的
趣味和张力，也为古老的凡尔赛宫
注入年轻的活力。

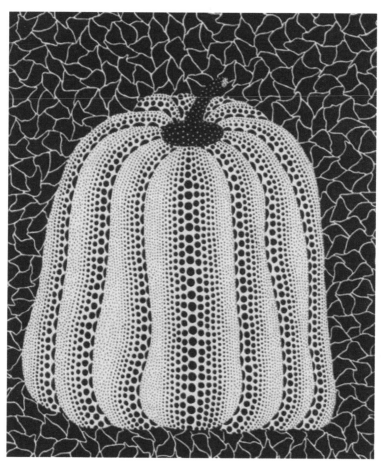

草间弥生从小就不断看到圆点点，天上地下到处都是圆点。她常把圆点画在她喜欢的南瓜上。她说南瓜很美，又常能喂饱战争之后肚子饿的人民。不过如果你多看一些草间弥生的作品，就会发现她其实什么都画上圆点。如果不画圆点，则是画上裂纹般的网子。

草间弥生的雕塑，花朵的中心长了大眼睛。这是比人还高的大花朵，可以想象，如果不采用工作室的形态，只凭艺术家一个人的双手，恐怕费尽力气也很难把作品完成到这样的程度。

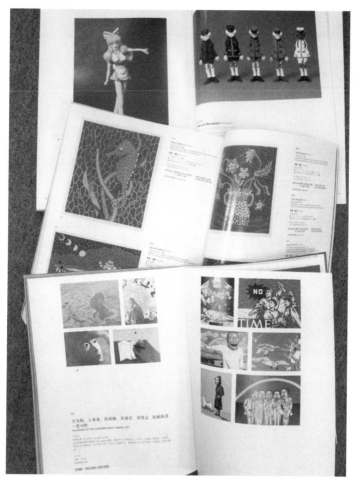

大艺术家的版画很受欢迎，因为比较买得起，挂在墙上也比较不担心。后面那本是United Asian公司的目录，出现了一些限量二百件的村上隆娃娃。

中间那本是Shinwa公司的目录，出现了一些草间弥生的版画，画面照样布满了裂纹般的网子。

前面那本是匡时公司的目录，可以看见中国当代艺术名家们的版画。

张晓刚是目前世界上活着的身价最高的艺术家之一。是他的画吸引我第一次走进了当代艺术的画廊，但结果我始终不曾拥有过他任何一幅作品。但没关系，画是拿来看的，我喜欢的画太多了，但拥有的画作非常少。就跟恋爱一样，你喜欢的人可能很多，但能真正在一起的，非常少呀。

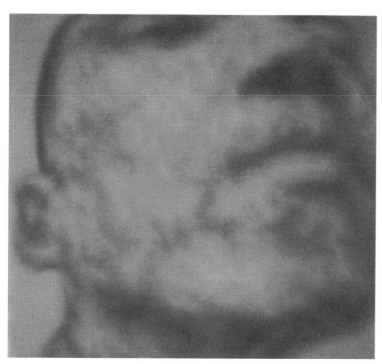

赵能智画的人脸，强烈散发出迷幻的气息。我不是一个很迷幻的人，所以我很被这样迷幻的表情吸引。人跟艺术品的关系各式各样，有人在艺术里面寻找他自己，有人则在艺术里面寻找他没有的一切。

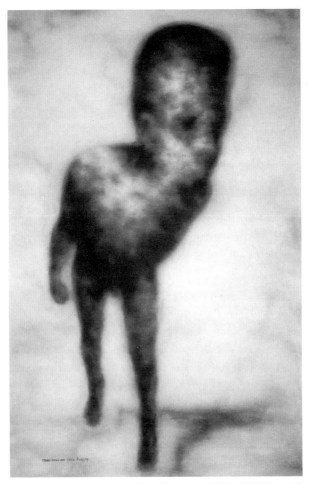

赵能智的"影子"系列，带给我奇怪的力量，我看到画面里的人那种对世界又好奇、又抗拒的姿态，好像看到了我自己。当然，赵能智的"影子"系列也颇有电子讯号形成躯体的感觉，对于看我节目的人来说，我不就是以这种方式存在的吗？

Bansky原本是在街头墙上喷漆涂鸦的艺术家，但他的作品太出色了，看过的路人很难置之不理，果然崇拜他的人到了一定数量后，终于引发了收藏家的疯狂追捧，也把街头涂鸦再次送上艺术市场的宝座。

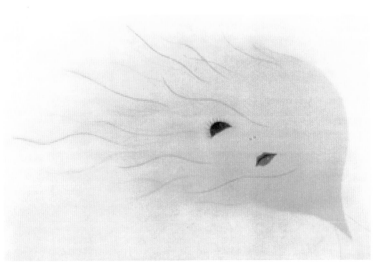

川岛秀明画的人头，既像海中水母，又像风中花朵。当然，作为和奈良美智同一家画廊的重点画家，带给了川岛秀明难得的光环，但这些美丽飘荡的人脸，和奈良美智画的那些固执坚定的小孩，是截然不同的路数。在艺术品评的过程里，经得起比较，是成为大艺术家的重要过程。

Yayoi Deki被不少人视为年轻世代的草间弥生。即使是在草间弥生这么大的光环之下，Yayoi Deki还是展露了自身绚丽诗意的风格。

奈良美智的"失眠娃娃",搬了一个小板凳,以大人的坐姿,面对睡不着的夜晚。他显然既没有要作战,也没有要投降,只是固守他自己的世界,宣示他坚定的存在。

名和晃平，用大大小小的玻璃珠，盖满了动物的标本。我不知道他的灵感，是不是来自于清晨从露珠中苏醒的植物，还是由逐步融化的冰雪中重获生命的那些冬眠的蛇蛙。我觉得名和晃平的工艺和概念一样迷人，他这些玻璃珠覆盖的作品，在灯光掩映之下，同时呈现了圣洁和冷酷。

这是一些拍卖目录的封面。中间这本的封面，是本书提到身价极惊人的Jasper Johns画的美国国旗，但我选这本目录给你看，是因为这是Christie's公司为大作家Michael Chrichton办的收藏品专场拍卖。Michael Chrichton最有名的小说包括《侏罗纪公园》，他也创造了电视影集《急诊室的故事》（*ER*）。如同本书所说，当Michael Chrichton在2008年过世之后，他的精彩收藏也就在2010年回到市场上，由下一位的有缘人接手。

另外两本目录，中文那本是保利公司办的"吴冠中画作"专场拍卖。

而黑色那本是Phillips de Pury公司以"设计 design"为主题而办的拍卖，对象包括椅子、花瓶、手表和灯。

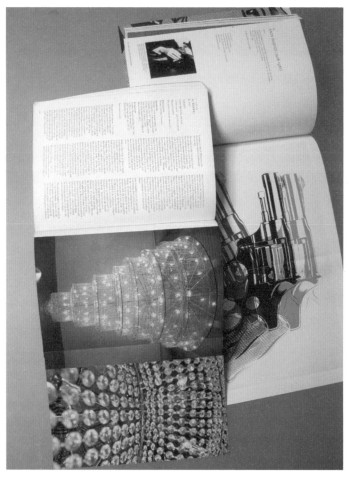

拍卖会有时会办专属贵宾才能参加的"夜场"。可想而知夜场既然限制参加资格，表示上场对象都是极具分量的艺术品。这样的艺术品，往往也会用豪华精致的方式来呈现，以求更有效地打动贵宾。照片中那幅"手枪"是Andy Warhol的大作，Christie's公司在夜场目录里用了折页来呈现。

另外一本Sotheby's公司的目录，也用了折页来呈现一位大艺术家做的巨大水晶吊灯。

我翻阅拍卖目录，如果看到非常喜欢的作品，但买不起或不想买时，我会等到拍卖结束以后，把我喜欢的那件作品的照片撕下来，贴在墙上。这对我来讲很有乐趣，小小一面墙可以一眼看到好多我喜欢的画，一样能带给我各种力量或启发，而且比我买画便宜太多啦。

喻红一直被认为是最会画油画的中国当代画家之一。而她在多年使用帆布作画之后，也尝试使用巨大的丝绸来画油画。一整排丝绸油画自高处垂下，像白色瀑布或剧院大幕般出现。这个手法也使得西方艺术界把喻红列入了对中国传统角创新的新的名家之列。

刘丹的水墨作品，可以被放在中国水墨的脉络里研究，也可以被放在当代艺术的脉络里研究，这也就是为什么即使是在当代艺术争奇斗艳的纽约，刘丹的画作依然引起重视，因为他显然用了西方艺术里最当代的手法，来处理中国人已经习以为常的水墨。这张照片拍的是刘丹的巨幅山水，在美国的圣地亚哥博物馆展出。

雲飛岫供石零四手金陵劉丹畫

刘丹对待光影、对待视点、对待重力的态度，都使得他的水墨作品展现了慑人的视觉经验。刘丹把中国传统文人供在书桌上的奇石，画成一面墙那么大，手法却又细微到仿佛透过高倍数望远镜，观察悬浮眼前的、某个宇宙的星球。

这当然也使得对水墨怀抱刻板印象的西方艺坛，体会到了中国水墨透过创新而能传递的惊人力量。

Chuck Close 把人脸分割成一小格一小格，再放大画成一面墙的高度。他显然对于人的脸所蕴涵的各种讯息，充满了探究的决心，于是采用最无感情的方式，来处理一般人最容易充满感情对待的对象：别人的脸。他这种领先时代，把"画素"解析呈现的手法，为他赢得大艺术家的地位。把Chuck Close画的人脸，和刘丹画的石头并排而看，别有一种"微物之神"的乐趣。

池龙虎用轮胎皮做成各种猛兽，等于是以制造"科学怪人"的斗志，把工业时代大量消耗的习性，救赎般重新扭转，拼凑出比它们的前世更有力量的存在。

你下次看到池龙虎的轮胎巨兽，记得望进巨兽的瞳孔里，里面是池龙虎的签名哦。

有一种画，常常让你感觉那个画的内容，老是要跑到画框的外面来。欧阳春的画就是这样。他的画很像你要进入欧阳春世界之前，看到的展示橱窗，好像你如果伸手碰触，就会顺理成章地被拉进去，开始你的爱丽丝漫游奇境了。

曾梵志是已经跻身世界顶级身价的画家。这表示他的画除了被放置在中国的历史或文化环境里理解之外，也已经能毫不依赖特定的文化条件，而和各国顶尖的画家一起被各种文化背景的人欣赏。这应该可以启发一些仍然重度依赖某些文化符号的画家对下一步的判断。

郭伟画的少女、少年或儿童，让我猜测他们身体周围应该另有一股只属于他们的气流。他们好像在呼吸他们自己的空气，接收他们自己的光。我真好奇他们颈子能弯几度，跳起来会离地几厘米？

每次看李暐的摄影，我都在推演照片中的他，是怎么办到的？有没有受过伤呢？每次这样，心里都不会偷偷后悔自己为什么要做艺术家吗？

张鹏的摄影，把小女孩提早拎进了"哀感顽艳"的感伤人生。她们的表情熟练镇定，简直是一次又一次重复排练各种受伤的状态。还不曾绽放的花苞，已经被制成了标本啊。

艺术家看世界的眼睛，和一般人不同，有的看出了粒子，有的看出了旋涡，而李博呢，看见了指纹一般的纹路。他用绳子罗列出他看见的生活，于是那些绳子变成了血管、毛发、生活擦撞的痕迹，还有绕个没完的回忆。

有些买当代艺术的人，会开玩笑地抱怨某些贵得要命的画，连颜料都没有，买得有点不甘心。这样抱怨的人如果面对尹齐的油画，大概会像看到奶油巧克力蛋糕一样的快乐吧。

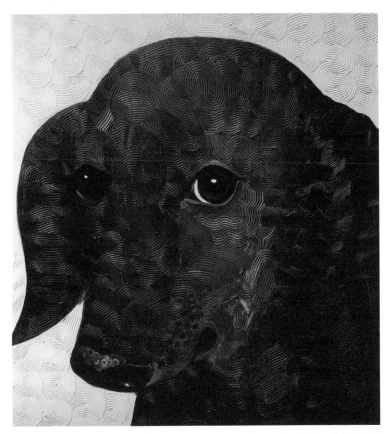

有些画的力量，不见得来自画的内容，而是来自画的方法。尹齐画的狗，常常已经巨大到比NBA球员还高的高度。他的画似乎提醒了我，在概念挂帅的当代艺术世界里，他仍能用笔触本身，直接打动看画的我们。

难断高下时，画面优美的总是加分

陈冠宇有一个朋友是位年轻收藏家，拥有两张美女的画，是一位北方画家画的，这位北方画家曾经被炒到天价，后来被炒过了头，大家全部见好就抛，一下供过于求，没人接手，这位画家的美人油画也就变成有价无市。拍卖公司也就不愿再收这位画家的画，但因为拍卖公司要争取这位年轻收藏家别的收藏，只好也顺便收下他手上这两张美女画，放到拍卖目录上。内行人都知道，这两张美女画在市场上已经很难流通了，然而拍卖现场的结果竟然出乎意料。

当时，出现了两组买家在竞标这两张美女画。一位是贵妇人，她小孩吵着说画很漂亮，贵妇妈妈宠小孩，就想买给小孩挂；另外一位是印度尼西亚富商太太，因为富商在场大开杀戒买曾梵志、刘野等热门作品，这位太太觉得自己闲生整晚，也该花点钱，买点东西，刚好她也看上了这两张漂亮的美女画。没想到，贵妇和富商太太两人抢一抢，这两幅本不被看好的作品，居然飙到了百万以上，让内行人都大吃一惊。

虽然在行家的眼中是很任性的一次竞价，可是不可否认，画面讨好，还是比较有优势，因为起码非专业人士看了高兴。不像有些艺术地位很高的画，一旦印在目录上，外行人还以为印坏掉了。哪些艺术家的大作，有这样的效果呢？好奇的人，可以寻Cy Twombly[1]的画来看，动辄几千万人民币哦，哈哈。

印成很小张后的吸睛力，
也影响吸金力

一幅画挂在画廊里，会亲自去现场看原作的人有几个呢？大概不会超过一千个。可是，如果这张画放到画册、拍卖目录、艺术杂志，甚至网络上，通过这些渠道，可能就有上万的人看到，绝对比走进画廊看这张画的人多了百倍。这个时代，大部分看到画的人，都是先看到图片或电子文件，而不是直接接触到真品。作品上不上镜头，印刷成很小张时的效果，能

[1] 塞·托姆布雷（Cy Twombly，1928—2011），美国当代抽象主义大师。作品以抽象派印象主义闻名于世，并以丰富的线条以及涂鸦结合字母和单词著称。

不能第一眼就吸住你的眼球，常常会决定它在艺术市场上的表现。

就像是大明星，多数人喜欢他们，也都是通过电视、电影或印刷品，实际见过林志玲或金城武本人而奉为偶像的，相对难得。我们在演艺圈很喜欢讲一个人上不上相，如果一亮相，样子就迷倒众生，这就是"卖相"好，就是中国人讲的老天爷赏饭吃。如果她本人很美，可是拍出来就是不美，可能就不适合演艺圈。

一张两百乘四百厘米的大画，在计算机屏幕上看大概就扑克牌那么大一张，无法想象原画像堵高墙矗立在你面前的震撼力有多大，这是视觉快餐的习惯造成的后果。我和陈冠宇也遇过很多次，现场看原画很棒，可是网络上看起来，就是一片黑色或一片白色，这时我们就会劝现场被画打动的朋友要多多考虑，毕竟他如果买了，将来要转手的对象，可能也只会打开电子邮件以后，看一眼，没被吸引就没有购买欲了。

凝视观众的人像，最吸引目光

我读过一篇艺术史学者的研究，探讨人类最感兴趣的画作题材是什么？人眼最有反应的一定是人像，这跟人的生理本能有关系。第一个，是出于防卫的功能，我们从原始人时代，就会注意有眼睛的东西，例如面对一头狮子或是一条蛇，我们都会警觉，相反地，对树木就不需要警觉。第二个是求偶的功能，人本来就在追寻同类，这一定是跑不掉的，所以看到一个人会注意对方是否有回看你，你会对另一个人求偶，但不会对没长眼睛的石头或树求偶。

人的基本生理本能到现在都没改变，所以为什么杂志的封面喜欢用人脸？而且喜欢让封面人物的眼睛看着消费者？不管是财经杂志或时尚杂志都一样，你去逛杂志摊，几乎每个封面人物都在望着你。

人类对于人像最有反应，是毋庸置疑的。我平日浏览微博的头像，也是一样，微博头像放人脸的，点阅率最高，其次是宠物，再来才是风景。很少有杂志放风景做封面，因为比较引发不了购买欲。艺术史也得到一样的结论，动物和风景，都比人像受冷落。这个排列顺序长久以来并没有改变。至于抽象画就是另外一件事了，反正我没有看过有人微博的头像是用赵无极的抽象画，因为在网络上看起来，恐怕会像一团烟雾。

买再怎么贵的画作，多半还是会受画面的内容影响，所以，挑选画作时，除了画家的名气以及画作的年份之外，一张红色的赵无极，与一张灰色的赵无极，吸引力也会不同。安迪·沃霍尔一张金色的高跟鞋，跟他画一张彩色的小天使，吸引到的人也不一样。假设你准备了两千块美金，要买村上隆的版画，如果有两个选择，一个是一格一格的色块，很难说明他在画什么，另一个是露齿微笑的卡通动物大头，而且那动物大头有红的、白的、蓝的、黑的，我多半会建议你选红的那个大头，红色就是比较让人有热情些的感觉。

亚洲市场较保守，避免挑战大众品位

　　艺术作品的行情变化，反映着买家的心理，一旦赢得众人目光，就有可能在日后成为被追捧的投资标的。这种讲法虽然有失严肃，可是卖相这件事，在市场上确实很重要。

　　当代艺术经常处理跟"性"有关的题材，即使甜美如村上隆，也有极经典的动漫风格的男孩与女孩非常夸张的器官，各自喷射出大量液体的巨大雕塑。当代艺术也常处理疾病或死亡的题材，达明安·赫斯特把整头牛对切剖成两半的标本，也是经典之至。这几件作品别说是天价，根本是你捧着钱也已经买不到的里程碑式艺术品了。但这毕竟是很极端的例子。一般来说，亚洲收藏家的品位还是比较保守些。在你有选择的情况下，就不必选过于冒犯或挑战大众品位的艺术品了。

这场游戏有专用钱币

有一个乡下农夫，帮人家清理老房屋时，得到了一大批"破旧碗盘"。他隐约听说过有些破旧碗盘还能值点钱，但他连字都不太认得，不可能知道这些破东西到底值多少钱，怎么办呢？他就放出消息，给那些专门到乡下去搜旧货的商人听见。

古董圈本来就有一些商人，会专门到乡下找老太太的漱口杯、装米的缸盆，从中挖掘一些有年月的瓷器。一个古董商听了消息，就去看看老农夫的货，老农夫把一两百个破烂碗盘铺在草席上说："你先挑，你挑好了，我们再来谈价钱。"古董商精挑细选，挑了五个小盘子出来，问他："你要卖多少钱?"老农夫反问："你要出多少钱?"对方说："这五个盘子，我愿意每个出价一百元。"老农夫听了就回答："每个我要卖八百元。"古董商觉得太贵，没有交易成功。

老农夫于是知道这五个盘子应该是其中比较值钱的，每个行情价在三五百块左右，这种行情价，古董商买回去卖才会有赚头。后来又不断有人上门来挑，他又靠同样方法，知道哪些碗盘有人要、哪些是垃圾；只要对方挑好，他就开一个离谱的价钱，不让人买。当人家生气，他会说："不然你从剩下的里面尽量挑一堆，我最最便宜卖给你。"就这样农夫把烂东西出清，剩下最好的几件则留在手边，慢慢待价而沽。身为一个外行人，这位聪明的农夫，他从内行人口中得知了价钱，做出了成功的定价策略。

画廊卖艺术品，定价是秘密

艺术品的价钱，是怎么定出来的？其实没办法从成本来判断，要卖多少钱，几乎是建立在它的文化价值、历史地位，以及多少人追逐的基础上。对绝大部分人来说，这都是很难捉摸的标准。

纽约一些大画廊的主人，已上了年纪，累积财富也早已可退休了，却还是坚持自己面对顾客，亲口告诉客人价钱，而不愿印出一张白纸黑字的价目表给他手下的经理，让经理去拿给客人说："这张十万，那张二十万。"

甚至有些画廊主人见到客人之前，其实可能都还没决定某幅画要卖多少，必须跟客人进到小房间坐下来谈，边聊边盘算，包括跟此人的交情、世界的经济状况、分析这个买家是否能带来更多好顾客。就算表面上有张定价表，最后实际的成交价也是非常隐秘的。

守住画家身价，画廊只涨不能降

陈冠宇又提到一个画廊和其他商店截然不同之处：画廊定价有一个微妙的原则，就是永远不会调降画的售价。如果今天画廊帮我办了一次画展，每幅画卖五万块台币，明年再办展的时候，每幅画最少要维持五万块，绝不能调降。

画这个东西很奇怪，跟房屋不一样。今年每坪卖一百万的房子，明年降低到八十万，很多客人会很感兴趣。可是，今年卖五万的画，明年卖三万，客人会逃走，一哄而散，再也没有人要买这画家的画。因为大家等于当头被泼盆冰水："这个画家根本没有人要。"就算画作滞销，画廊主人也必须撑住，不能调降定价，只能用打折的方式卖掉。如果今天真的要把艺术家的画价调降，有些画廊干脆和这位艺术家解约。

解约对一般人听起来会觉得无情，然而事实是：画廊的定价，只能上不能下，下来就等于宣布了画家在市场上已无立足之地。从客人的心理来看，我今年花五万块跟你买一张画，明年我走进画廊，发现同类的画只值四万，心中作何感想？恐怕会觉得，你害我的钱缩水了。如果画廊可以把价钱撑住，客人明年来，能看到同一位艺术家作品升到六万块，这样下次他才有信心再跟你买画。一个大老板买画，买了放在那边，他也不一定要卖，但就是要知道这东西在增值中，表示他眼光准确！画廊可以说很多时候是在卖一种增值的期望。

和滞销的艺术家解约，可以放他去和其他画廊合作。新合作的画廊有不同的顾客群，不同的推广策略，大可以重新定价，比较不会伤害到艺术家。

你涨你的，我未必埋单

陈冠宇解说一下画廊主人的玩法：一个画廊主人经营艺术家，若告诉客人明年会涨百分之十，这是指售价明年要调涨百分之十。但是调涨百分之十后，是不是还有人买，还是必须留给市场决定。若每年涨价之后，都不断有客人来买，代表这个艺术家的身价逐步推升。假设调涨之后没人买，原因可能是整个市场气氛不好，可能是艺术家基本面不佳，当然也有可能是画廊主人操作不当。例如这位艺术家上一批八张画，分别卖给四个客人，可是画廊没有持续找到新顾客，调涨价格后，没有新客户来买，旧客户也已经买够了，那么调涨后的价格，就是有价无市。所以，艺术家的作品价格是不是有上涨潜力，除了要回到艺术家本身的基本面（有没有进步、被更多艺术机构认可），也要评估画廊主人的能力。

如果看见画家价格上涨了，当然值得开心，但不妨冷静观察一下，看看是不是画廊做庄家，在炒价格？如果是，就要谨慎，因为画廊这种揠苗助长的做法，容易让艺术家的市场寿命缩短。

120

来自陈冠宇的提醒

拍卖价下跌，未必是警讯

　　画价有两种，一个是画廊价，一个是拍卖落槌的成交价。画廊定价往下，是警讯；但拍卖的成交价往下，倒未必是警讯。

　　拍卖价是少数对象在市场上被追逐而形成的价钱，或者是作出的价钱。一个有潜力的好艺术家，如果原本画廊定价是五万，而拍卖价曾经到十万，偶尔在某场拍卖中又降成七万或八万，那只是那一场特定的拍卖形成的结果。川岛秀明人气很旺，但因为拍卖地点是在中东，当地的买家们不熟悉川岛秀明，出价就不热络。也可能某场拍卖举办当天，台风来袭，或政府宣布了一个让有钱人心情变很差的加税政策，这些都会造成拍卖价格很突兀地下跌。这就只是特定时空造成的现象，类似感冒了打个喷嚏，不表示艺术家的市场地位出了什么问题。

　　那么，如果画廊定价五万，而一年来同尺寸风格的画平均拍卖价掉到两万，能不能去拍卖会捡便宜？这要取决于你是否看好这位艺术家的前途，是不是观察后判定跌价只是暂时的现象，如果以上原因成立，的确是有可能出现超跌，那就不必因为跌价，而否定这个艺术家的未来，可以去拍卖会捡便宜。

艺术品发生真伪争议，有时会影响价格，有时却能引来更多目光。

变身游戏

有个古董商拿了一本拍卖目录，跑到景德镇找了手艺好的工匠，请工匠从这本目录上的昂贵瓷器中，自行选一个有把握能够做得最像的瓷器。工匠选了，也真的照样做出了这一款瓷器。古董商看到成果，认为够逼真了，就到拍卖场，出价把这件真品买下来，让全场的人都现场亲眼看见，"哦！某某人手中这下拥有这件元朝青花瓷了"。然后这个古董商再去请景德镇那个工匠做了十个同样逼真的出来，所以古董商就有十个很逼真的元朝青花瓷在手上。每次他要卖出元朝青花瓷的时候，客人很容易会认为是真的，因为大家都知道那件元朝青花瓷真品在他手上，殊不知十个客人买到十个都是高手仿造出来的仿造品。

另外一个故事是，一家拍卖公司目录里刊登了一张油画，旁边登了一张资料照片，是刚过世的老画家手上拿着画框，画框里面正是这幅油画，妙的是这张照片里的画框只出现了三个边，最靠外侧那一边的画框看来是因为拍照时取景的关系，被裁掉了。这张照片，是为了用来证明画的血统纯正，于是这画也就拍出不错的成交价。买到的人是我朋友，但最后他不愿付款，为什么呢？因为他的电子邮箱收到一张完全一样的照片，可是照片里的老画家拿的是另外一张画，而且画框是完整的。原来拍卖目录上，画家拿着画的照片是伪造合成的，因为合成时假画的尺寸不对，所以照片割掉了第四道画框。虽然不能就这样断定画一定是假的，只能说这张画没有跟老画家合照过，可是做了伪造的照片，使得疑云四起，血统就算纯正，也会被认定不纯正了。以后看到有这类"表明真画"的照片，还是要谨慎以对。

当代艺术，也有伪作

当代艺术现在会红起来，有一部分正是因为当代艺术的创作者们大多还在世，可以亲自鉴定伪作，而其他类别的艺术品比较容易出现真假的争议。

❶ 莫迪利阿尼（Amedeo Modigliani, 1884—1920），意大利杰出的绘画大师，享誉世界的艺术天才。

我的收藏家好友衣淑凡，也是艺术拍卖的大专家，她去巴黎找常玉作品的时候，会找常玉在世时曾来往过的人。她做了功课，知道常玉在落魄的时候，拿画给人抵房租，还知道他在巴黎找不到地方开画展时，在一对老夫妇家里开展览。衣淑凡就在老夫妇家中找到两匹常玉雕的小马。艺术品的来历往往都很传奇，这是它们的迷人之处，但也就有了来源过于戏剧化的困扰。

安迪·加西亚（Andy Garcia）主演的电影《毕加索与莫迪利阿尼①》，第一场戏很好玩：毕加索在巴黎的一个小酒馆，全场的人都向他敬酒，他一时兴起，在一张餐巾上画了画，然后丢给酒馆的老板说："今天，现场所有人喝的酒都由我请客。"意思当然是他毕加索随手涂鸦，也尽够请一屋子的人喝个够了。老板很高兴拿到那张餐巾，可是一看，没有签毕加索的名字。他说："大师，你没有签名耶！"毕加索瞪他一眼说："我说'请今天晚上所有的人喝酒'，我可没有说要把你的酒馆买下来哦！"意思是他一签名，这餐巾的价值，就足以把这个小酒馆买下来。

这张毕加索没签名的餐巾，日后要卖时，如何确认它的真假？所以艺术品讲究有"文献证明"，比方说，被当时的报纸刊登过，或被画廊选中拿去杂志登广告用。还有，如果被收在重要的画册里面，比方说常玉精选集，作为封面的这张画肯定非常了不得，价值会因此上升。但吊诡的是，出现在画册上的画，印刷得愈精美，愈可能被造假的人当做仿造的依据。而陈旧的报刊、老旧的照片也往往很模糊，很难据以判断真伪。

看你选择相信谁

某位画家过世之后，子女争遗产，随侍在侧的大儿子在台湾要卖爸爸遗留的画，住在北京的次子却说是假画。两个都是儿子，都有资格说爸爸的画是真是假，这批画就被抹上一层疑云。

拍卖公司有一个条款，大意是说："经由本公司卖出的东西，如果买的人能证明是假的，我们就取消交易把钱退给你。"只是，买的人要如何证明真假？一幅张大千的画，全世界的张大千专家可能会有不同的说法。举例来说，有些专家判断画的年份，是看画家用的纸有多古老，而台湾有名的水墨画家于彭①，他画水墨画就是喜欢用老纸头，因为清朝做出来的纸头有特殊的风味，水墨在上面晕染开来的纹路跟新纸不一样。所以他没事就去老店找老纸，大陆卖老纸头的商人，有些人不知道于彭是谁，久而久之就流传有一个专门伪造清朝画作的人，常常去搜寻老纸头。另外也有人说，

① 于彭（1955— ），当代艺术家。涉及领域包括绘画、雕塑、木刻等。

要判定汉朝的俑是否为真，可以用特殊光线扫描土质检查年代。这也略有争议，因为伪造的人会拿汉朝的砖头，磨碎以后做成赝品，扫描后的土质，当然也会显示符合汉朝的年份。

一旦发生真伪争议，可能会造成各种结果，有时候影响价格，但有时候刚巧能引来更多目光。常玉画作的权威专家衣淑凡之前找到了一张常玉画的荷花屏风，这画难得是因为常玉曾与张大千相遇，在看了张大千的荷花后，常玉也被唤起，画了大荷，所以这个荷花屏风，纪念了艺术史上两个大画家的相遇，非常珍贵。可是却遇到有人放毒说，这是照着老照片伪造的。我问衣淑凡："担不担心这张珍品在拍卖时的价钱会不理想？"她说，画被人家放谣言下毒，是常发生的事，但她向来都是正面看待，这种消息只会使得更多人注意这张画，而她本人作为常玉画册的作者，多年来建立的鉴定常玉画作的信誉，都会让内行的买家，当成最终作决定的依据。

产生纠纷，真迹照样被抹黑

当代艺术家即使已经过世，大多也有指定的权威代理机构，替作品分辨真假，并开立证明。艺术家仍活跃的话，真伪判断当然更明白快速。奈良美智就曾经针对英国的一场拍卖，指出一张他的作品是假的，拍卖公司立刻撤下不卖。不过，也别以为当代艺术家还在世，就能尽情请他们鉴别真伪，世界上这么多场拍卖会，许多艺术家后来不堪其扰，宣布不提供这方面的服务。另外，也有一些特殊的争议，是来自艺术家本身的立场或情绪问题，有时候艺术家不高兴或不同意某件作品被拿出来卖，可能会拒绝开证书给拍卖公司，不肯承认这个作品。

陈冠宇提到，一个收藏家买了张中国当代名家的画，是跟艺术家的代理画廊买的，也有保证书。由于画廊跟收藏家讲好了，请收藏家三年内不要拿到拍卖市场去卖。收藏家经过一年多之后，可能觉得不喜欢了，就要拿去拍卖。艺术家知道了，亲自打电话给拍卖公司说："你们拍的这幅是假画。"收藏家觉得莫名其妙，去找画廊理论，画廊只好去找艺术家询问，艺术家说："这个人买我的作品才一年，就这样丢出来，毫无尊重，我要教训教训他。"站在拍卖公司的立场，艺术家都跳出来说这是假画了，当然不方便再收，画廊也不愿意买回去。最后这位收藏家，只好抱着那张被市场认为是假画的真画回家，再放几年看看罢！

另外有位计算机界的收藏家，手上有一张知名画家的油画，他觉得看起来很福气、很招财，所以一直挂在办公室。某一天，他收到某拍卖公司的目录，赫然发现那张画竟然也出现在目录里面，跟他墙上那张一模一样。他跑去问当初卖他画的画商，也问不出所以然，至于拍卖公司那张画，则是另一位收藏家的，于是两张画就都被送到艺术家那里去鉴定。但最后艺术家竟没有作出裁判，只对计算机界的收藏家说："我另外画一张更大的给你，你拿回去挂，原来这张就留在我这里，这事你就别再提了。"这事照陈冠宇的分析，大概是画商向画家订了一张画，付了钱却久久没取走，后来另一位客人看见了这画也要买，艺术家想说能卖就卖，就多画了一张同样的，这就出现两张一样的画了。

有保证书也未必是真品

有些当代艺术，表面上看起来画面很像，但每张会有一点差异，像安迪·沃霍尔的画，同样画玛丽莲·梦露，可是颜色不一样，这在西方通常称做"同一系列"。不过传统水墨界倒不忌讳画一模一样的画，传统水墨画家的画展比较像是样品展示柜，你看中要买不是直接把画取走。可能这张王昭君，同时有七个人喜欢，都下了订，画展结束后，画家就画七张完全一样的王昭君，分别给不同收藏家，上面分别写"某某人收藏"，这个规则是传统水墨的买家都接受的。

还有一种偏差的状况，就是知名艺术家的后代，专门收费来替假画签保证书。假设有画商拿了一百张假画，叫后代帮他父亲的作品开保证书，只是签个名，再和画拍个照，每张保证书付后代十万元，这位后代一次就赚进一千万，可以说是无本生意，只能说他投胎生对了家庭。当然，正派不配合作假的画家后代，还是占了绝大多数。

来自陈冠宇的提醒
通过代理画廊最安心

　　艺术品最怕买到假货，很多人买进的时候很高兴，卖出的时候发现是假的，伤财又伤心。较可靠的渠道，就是找这位艺术家的代理画廊。因为大家都知道画廊跟这位艺术家签约，画作就会有保证书，代表了一定程度的公信力。

　　一旦抱着贪便宜的心，很容易误上贼船，不要以为自己本事很大，人脉很广，捡到了便宜，务必再三问自己："这么大的便宜，对方为什么愿意送上门来给我占？"这样自问几通，头脑就冷静了。

道高一尺，魔高一丈

传说有个农村的老太太，总在村子口卖小猫。有一个古董商到乡下挖宝的时候，看到笼子里头，猫喝牛奶用的那个碗好像是明朝的碗，于是他一边跟老太太聊猫咪的事情，一边打量那个碗，最后确定是明朝的瓷器没有错，便假装要买猫，开始跟老太太议价："猫要多少钱?"老太太说："猫要一千块。"他吓一跳，一千块比一般小猫的价钱可贵很多，但老太太肯定并不知道喂猫的碗是明朝碗这个秘密，古董商自有盘算，就爽快付了一千块。

他付完钱，只见老太太把猫咪从笼子里拿出来，另外拿个纸盒装了，交给古董商。古董商急了，问老太太："我买猫，好歹连笼子一起给我呀!"老太太回答："一千，只给你猫咪，笼子我可要留着。"那个碗当然也就留在笼子里，从头到尾就没有要给古董商。其实这老太太完全知道那是明朝的碗，她就一直靠这个碗当成诱饵来卖猫，每次都卖一千块，赚到很多这种爱打如意算盘的人的钱。

五招"捡漏"良方

古董界说"捡漏",漏这个意思,就是在众人的目光之下捡到便宜。假设那位古董商人花一千块买猫咪,顺便也得到笼子以及明朝的碗,就是捡到漏了。买艺术品要捡到便宜货,有以下几种情况,由陈冠宇作个介绍:

1. 小拍卖、跨远距,行家最常用

有一次我朋友为了一个演讲,上网搜寻艺术家林明弘(Michael Lin),跑出一个英国地下铁慈善拍卖的网页。那是英国地下铁公司网罗了全世界一百个新生代艺术家,每个艺术家捐出一张版画,虽说是版画,却只做两张,一张给地下铁公司永久收藏,另一张就捐出来做慈善拍卖,等于买到的人,就拥有市面上唯一流通的一张。这已经超越版画的价值,等于单一作品了。

这一百位艺术家里面,我朋友只认识Michael Lin一个名字而已,结果他只花了一千英镑就买到了。只因英国地下铁公司在艺术拍卖方面是完全外行,没做任何有效的宣传,造成没什么人知道这个活动,让我朋友捡到大漏,用很便宜的价格买到一张又艳丽又独特、还挺大张的林明弘。

一般行家最常用的招数之一,就是这种远距跨区域的捡漏。有一个

成语"橘化为枳"，很贵的橘子过了淮河就变成比较便宜的枳，就类似这个意思。

到小拍卖挖宝，也是行家常用的方法。世界各地，都有很多小拍卖，绝大部分的作品都不好，但是偶尔会出现一两件超值的作品，因为参与的人少，就有可能买到便宜货。只是遇到某些小拍卖公司的服务很不专业，运送时把你买的东西寄丢或损坏了，也是会有的风险。这些都是很费时的工作，好作品又是可遇而不可求，非专业的人应该是很难顾及的。

2 去别人家里挖宝

纽约有很多古老的家庭里，会有一些中国的书画古物，当这些家庭的后代子孙要拍卖祖产时，可能一屋子就丢给一家拍卖公司处理，沙发、镜子、衣服、书柜，全部一起拍，里面常常隐藏了些珍品。老外早期很爱把漂亮的中国瓷器底部钻个洞，拿去当台灯的座子，或者大些的瓷器就直接放雨伞当伞桶。

中国文明实在累积了太多精彩的细节，很容易难倒西方人。一条古墨长得像一截黑炭，一柄竹子如意长得像一截树枝；明明是一块很有来历的砚台，美国人看来就是块石头；明明就是一方很厉害的瓦片，美国人看来也就是块砖头，那就是识货者大大捡便宜的时候。可能小拍卖行向来没有这方面的客人，所以拍卖场子里面，坐着一批完全不认得这些"乌漆麻黑"东西的客人，这时你可能就有机会用两百块买到一件价值几十万的古董。

这种遗产拍卖会，会吸引行家来寻宝，更多时候是乐趣多过于赚钱。

不过，拍卖现场只要有另一位识货的人，跟你拼到底，最后就算你赢了，也捡不到太大的便宜。请别以为老外弄不懂中国古物，这方面老外的大行家可多着哩。

3. 从装置艺术碰运气

我还遇过一些"属性暧昧"的艺术品。有一年某拍卖行出现一件徐冰的作品，大概四百厘米长的长布条，上面印满徐冰所创《天书》①的内容，铺在展览会场，面积很大、很壮观。我跟拍卖公司专家讨论此物的来历。原来那是徐冰在美术馆做天书展的时候，挂在天花板上三条长布条的其中一条。这算不算他的作品呢？专家说："是没有签名啦！但确实是他展览过的艺术品。"艺术家可能觉得那只是装饰的一部分，所以展览结束就留在现场，没签名也没带走。但这的确是他的创作物，也的确由某一家画廊花钱买走。此时卖出来，也有人愿意买，成交价百万。我相信有了这个成交纪录，这件创作物的市场价也就建立了。虽然在定义上，有点难说它是否能完全被当成一件作品来看待。

① 《天书》，徐冰的成名作。他自创四千余个貌似汉字的文字，印刷成册，1988年在中国美术馆首次展出。

② 郭伟（1960— ），中国当代艺术家。其作品表达的是在"熟悉的生活风俗被限定在一种既运动而又几乎停滞的凝视之中"的意念。

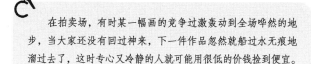

在拍卖场，有时某一幅画的竞争过激轰动到全场哗然的地步，当大家还没有回过神来，下一件作品忽然就船过水无痕地溜过去了，这时专心又冷静的人就可能用很低的价钱捡到便宜。

我最近收到一封电子邮件，有人要卖一颗掌心那么大的不锈钢球。那是20世纪60年代，草间弥生在威尼斯双年展做过一个展览，她往一片草地上撒出去千百颗不锈钢球，而这颗号称是其中一颗。卖家觉得那是艺术装置的一部分，当初从草地上捡起来以为捡到宝，几十年来就怀抱着乐趣收着这颗球。但我实在买不下手，买了别人大概以为我是去小钢珠店赢来的纪念品吧！

4. 拍卖会趁乱捡好货

我遇过几次在拍卖场，大家会突然集体恍神的时刻，有时是某一张画的竞争过激轰动到全场哗然的地步，当大家还没有回过神来，下一件作品忽然就船过水无痕地溜过去了，这时专心又冷静的人就可能用很低的价钱捡到便宜。也有些人想说出去抽烟，两分钟就回到场内，但如果他抽烟时碰到熟人，两个人聊得很高兴，就很可能聊上十分钟，因而错过他想买的东西，把猎物低价拱手让人。

陈冠宇有一个开餐厅的朋友到某拍卖会，想买一张很好的郭伟②画的男孩。那个朋友坐在最后排，假设当时价钱叫到六万五千块美金，他举手时，前面有位小姐也举手，但举得比较慢。拍卖官其实只看到开餐厅那位，没看到同时举手的小姐，"OK！六万五。"拍卖官落槌喊定，小姐以为是她得到了，就没有再举手。

落槌之后，拍卖官就报了那位开餐厅先生的牌号，小姐这才发现竟然不是自己得标，可生气了。她是大客户，就跑去跟拍卖行董事长抱怨。拍卖公司只好跑来跟开餐厅先生协商，除了六万五千美金之外，当场另外加上人民币五万元，拜托他把郭伟这幅画让给这位小姐。这五万也不知道是拍卖行贴的，还是那位小姐愿意多出五万买。而那位先生，反正也只是抱着捡漏的心态去买的，他怎么也没想到，因为座位的角度关系，加上拍卖官的疏忽，一分钟之内只是举举手，就平白赚到五万块，这结果算是和平落幕。

5. 坏景气时挑好货

捡便宜也需要等待时机。2008年金融风暴开始之后，手上有现金的人，忽然就有机会买到多年来梦寐以求但无人出让的珍品，而且几乎只用之前市场行情的一半到七折的价格买到。因为很多富豪的财富大缩水，因此需要变现一部分的收藏品。

很多人在拍卖会，会观察现场气氛来确认自己有没有买贵，举例来说，你准备好两千万元去买一张超级大幅的刘小东的油画，拍卖官说："我们从一千五百万开始。"可是如果当下全场没有半个人举手，空气中散发一丝警讯，你也不会贸然举牌，因为心中难免犹豫，"所有行家都认为一千五百万有点贵吗？"它到底值不值一千五百万？大家会互相观望，暂时没人敢开第一枪。

如果，顺利从一千五百万起跳，一千五、一千六、一千七，一路竞价到两千万的时候，忽然没有人举了，只有你举牌，成功买到了，这时你心中又会一则以喜一则以忧。喜的是在预算内买到了，忧的是"难道别人觉得这幅画不值两千万吗？"其实，最好就是以自己设定的预算为预算，不用担忧别人。别人可能把战斗力押在别张画上，你猜不透别人的算盘的。

　　有些买家还是喜欢亲自来拍卖现场见招拆招。我见过一位以收藏闻名的上市公司的老板，明明自己坐在拍卖场里面，他却不领号码牌也不举手，而是用眼神指挥一个离他很远的职员代替他举牌，竞标一张喻红的丝绸油画。因为我坐在这个大老板的旁边，所以全部都看到，他每次要出价，就瞪那个职员一眼，为的是不想惊动场子里的人，不想别人知道他想要喻红这个丝绸系列，进而引起现场的人盲目追随，胡乱参与追价，反而会害他自己多花钱。

来自陈冠宇的提醒

没有布置兵力的地方，往往挖好了坑

　　在拍卖场上买东西不妨冷静自持，你以为捡到漏时，也可能是炒作的庄家故意制造这个"漏"出来。比方说，一场拍卖会里，同一个艺术家的画有两张，庄家会先把第一张画作出很高的价钱，目的是要让现场其他不知情的人们见猎心喜，竞逐同一画家的第二张画。例如第一张画做出两百万美金，第二张画就算大家竞价出到一百万美金，可能仍觉得很便宜，事实上这张画可能只值七十万美金。

　　爱艺术的人，常常也是很讲究"凭感觉"的人。可惜"凭感觉"一旦变成你投资的依据，事情最后的发展，就未必会如你期望的那么浪漫啦。

该脱手时就脱手

我曾经陪蔡国强去上台湾天后级主持人张小燕小姐的访谈节目，小燕姐通过这个渠道认识了蔡国强后，对于我和蔡国强合作的炸废钞作品《招财平安符》，她觉得很有意思，所以当时也打电话进电视购物频道买了一组，购物台接电话的员工询问顾客姓名时，听到"张小燕"三字还真愣了一下。原本售价新台币九万九千元，后来在某些拍卖被竞价到四十万元，但小燕姐跟我说她没有要卖，她是抱着参与、支持及收藏的心态。但如果不是小燕姐，而是一位省吃俭用却有胆识的家庭主妇买了，并且在正确时间脱手卖掉，我跟蔡国强都会很高兴她因此赚了三倍。

大师如蔡国强，愿意出现在电视购物频道，本来就是一心要和非艺术圈的人来对话的呀。

现成的钱，也有人不愿赚

艺术品什么时候该卖？陈冠宇有两个好玩的故事。他说有两个人坐在拍卖场里面，没认真要买什么，随手翻翻目录，看到一座韩国艺术家池龙虎用轮胎皮雕塑成的小豹，他们讨论之后决定，如果在人民币二十万以内，就一人出一半买下来，果然这件作品可能顺序放在太后面，已过了晚餐时间，不少买家已经离场，就没有引起太激烈的竞争，被这二位顺利买到。过了三分钟，一位颇有名气的画商上完厕所回来，发现错过了那件作品，画商很着急，原来画商被一位大客户委托，要买到这座池龙虎的轮胎雕塑，于是画商当场向他们出了双倍价钱，二十万变四十万，要不要出让呢？两位合伙人点头，三分钟赚了一倍。

另一个故事。某位以收鼻烟壶闻名的收藏家，在一场小拍卖会看中一个鼻烟壶，他准备出到九十万人民币。因为这东西很好，他原本以为这预算可能买不到，结果没什么人跟他竞争，他就买到了。过了三分钟，另外一个古董商进场

❶李晖（1977— ），中国当代艺术家。擅长用亚克力与LED灯作为创作材质，构思出概念性装置作品。

说："客户委托我来标那个鼻烟壶，我刚刚去抽烟，一恍神就错过了。"得标的藏家问："你客户预算多少？"对方说："客户给我的预算到两百万人民币，你可不可以现在让给我？我可以交差。"九十万人民币，钱还没付，三分钟后就是两百万人民币！可是这位得标的藏家竟然没有让。

为什么不让？第一个原因，他不知道这古董商背后，是不是真的有客户在。有些人可能是看到鼻烟壶的大行家出手，确定了这真的是好东西，才想要争取，就算用两百万人民币才买到，他还是可以用更高价钱脱手，这表示自己眼光是对的，是极好的东西。第二，他觉得直接在拍卖公司场子做现成的生意，对名声不太好。所以最后还是不肯相让，把鼻烟壶带回家。

大概过了一年，一家拍卖公司来找他，问他有没有东西可以拿出来卖？他拿出那个鼻烟壶，拍卖公司看了非常高兴，说这东西太好了，可以拿来放在目录封面。结果，卖出了五百万人民币。

三分钟内从人民币九十万变两百万，或是，等了一年变五百万，不管怎样，都是极端戏剧化的故事，拿到任何一个行业去，都显得夸张，可是在艺术市场确实会发生。

赚到理想价差就可以卖

什么是最佳卖出时机，牵涉到收藏家自己的需求，用最简单的判断法，你已经赚到想赚的价差，就是一个合理的卖出时机。

有一个朋友在2006年夏天，买进一件艺术家李晖①的透明蓝光大军舰雕塑，那时候还没什么人认识李晖，画廊卖两万美元，朋友拿到八折，用一万六千美元买到。到了2008年，有人出价十万美元要买，2009年已经可以卖到二十万美元了。

那么李晖的这件雕塑，他到底该什么时候卖？他可以选择在十万美元的时候卖，也可以在十五万或二十万美元时卖，只要他觉得赚够了，就可以脱手，但因为他不差那个钱，也就一直抱着没卖。你一旦卖掉，虽然赚到，但同样的钱也买不回同样的李晖了。

陈冠宇建议，如果你看好一件作品，例如以一万块买进，五万块时脱手，赚到五倍了，你应该高兴，万一这五万块的作品，未来再变成五十万，你不要哭，那一段就让给人家赚吧！因为赚到五万后，你已经换到现金，可以再用这五万去买别的作品，这时你已经更上一层楼了。不能奢望，我要用一万买到，然后硬要等五十万再脱手，你很可能一辈子都等不到这件事发生。

买艺术品得用闲钱

有一个画商，经手了一张美国艺术家贾斯珀·约翰的国旗油画，卖方原来开价五百万美元。虽符合行情，但因为时间是在金融海啸之后，纽约整个经济环境与气氛都很差，画商好不容易通过关系找到一位有兴趣的买方，买方却只肯出价两百万美元。买卖双方僵持了一个半月，后来因为卖方实在需要现金，最后以两百七十万美元成交。这个价格只是卖方当初开价的一半，遇到金融海啸，卖在低点，但是为了现金没办法等，卖方只能接受这个结果。

到了2009年夏天市场回升，纽约有一张贾斯珀·约翰类似画面的作品，但尺寸只有前面提到那幅的四分之一，就卖了四百多万美元。如果当初那个卖方口袋够深，能撑过金融海啸后再脱手，他那张画应该能卖到一千万美元。

陈冠宇点出这件事的教训是，买艺术品要用闲置的钱，绝不能用生活或事业上要派用场的钱。记住，要维持你手上的现金，以免逼迫自己在最差的时候，贱卖艺术品来换钱。

重大事件发生前，会出现一波追捧利多

艺术家行情的高峰，最明显的是重大消息要出现的时候。比方说，世界级美术馆准备替某大艺术家办大型回顾展，像村上隆要在凡尔赛宫展出之前，或是蔡国强快要进古根海姆美术馆办回顾展之前，都会爆发追捧的热潮，这是一种预期心理。还有，传言重要的大买主要进场，也会吸引小买家跟进。例如美国的大收藏家科恩（Steven Cohen）买了什么画，就会有很多人跟着买。或是纽约的Mary Boone画廊（纽约知名老牌画廊）跟谁签约了，什么知名艺术经纪人接手了哪个艺术家，都会吸引消息灵通的买家，造成比较好的流通量与成交价。

等确实的消息出现，其实对好消息的热情都已经反应完了，就像是

股票市场上的"利多出尽"，等公司真的签到大订单，股价已经不涨，反而开始跌。在艺术市场，大部分涨幅也是集中在预期的过程，这跟股市有一点像。只是攀升过程中不容易买到画，因为艺术品不是股票，数量很有限，你要和举世的艺术投资者抢画，多半是供不应求。

而艺术市场的跌幅也没有股市那么夸张，不像股市修正那么快，利多出尽就打回原形。艺术品比较可以用人为控制量与价，所以价格上去之后，艺术家本身、艺术经纪人或拥有很多作品的收藏家，多少会想办法去维持台面上的价格。

善用谈判技巧

有一款邮票世界上只剩下两张，某富豪在拍卖会上把这两张邮票都买了下来，然后，开了一个盛大宴会，当着所有来宾的面，烧掉仅存两张的其中一张。这么一来，这款邮票就在地球上只剩下一张，价值就比原来增加了不知多少倍。可是我猜他也不是只为了增值，他烧掉邮票的目的是要让大家知道，"我是世界上唯一的拥有者"，一定也有宣威的痛快吧。

另外一个故事。有一个大古董商，在拍卖会上看到了一只玉碗，他想买，却听说另一位富豪也要买。他就跑去跟竞争对手说："你不要跟我争，这玉碗当年从皇宫出来是一对，另一只碗就在我手上。如果你出太高价，令我买不到这一只碗，那我发誓我另一只碗，这辈子也不会卖给你，我们两个就会各自只拥有一只落单的玉碗，到死为止，永远凑不成当初的一对。如果你这次别出手，让我买到，我之后一定用优惠价把两只碗一起卖给你。"对方一听有理，果然让步，大古董商之后也依约将这对碗转卖给那个富豪。这是依靠知识而来的谈判能力，何苦两败俱伤呢？

脱手收藏品最常见的方式是委托给拍卖公司，时间会拖上几个月。比方说拍卖会在11月份举行，拍卖公司6月到8月在找东西，接着要办展览、写介绍、印目录，筹备期需要近半年。半年的经济趋势变化，说不定金融风暴都来过了。本来把收藏品交给拍卖公司时一片荣景，想卖两千万，结果等到11月，景气太差，最后只卖了两百万，也是可能的。

由画廊代为脱手

想把买的画再卖回去给画廊，可不可行呢？市场景气不好的时候，大部分画廊是拒绝买回的，反正画廊并没有法律责任非买回不可，那画廊会在什么情况下买回呢？

第一个，景气好有赚头。原本你跟画廊买二十万元，现在卖回给画廊得三十万，而画廊可以再用四十万卖掉，皆大欢喜，但是这要处于热络的市场气氛才办得到。

第二个呢，原本你跟画廊买二十万元，但是现在市场价格不太好，行情只有十五万而已。不过你是画廊的大客户，画廊为了不想让你失望，想跟你继续来往，可能就会咬牙用原价二十万元买回。

有一个国际级大画廊，在亚洲、美洲都有据点，它跟客人作了书面协议，就是买到后的头两年不准送拍。两年之后，如果客人要卖这张画，画廊有优先权购回，但买回价画廊只会多出两年的利息钱。买回原因是不希望这些画流到拍卖市场，以维持画价的稳定。并非所有画廊都希望旗下的画家，忽然拍出天价，要知道，这是双刃剑，一旦拍出天价，这位画家很容易变得太大牌，很可能导致难以继续合作。

　　不过在2008年金融风暴时，很多两年前买画的客户，按协议把画卖回给这家大画廊，还要加百分之十五的利息。画廊也接受，不断买回。最后买到大画廊现金出现问题，没有钱买了，只好告诉客人："优先权我不要了，你要怎么卖尽管去卖吧!"

　　也有很多画廊只有口头承诺，告诉客人："反正你要卖的时候找我。"这种就说不上是画廊买回，画廊不会自己掏钱，而是放在画廊寄卖，卖出再给你钱，另外再加收百分之五或百分之十的佣金，要卖出就有得等了。

艺术品三种滞销情况

　　第一，如果你买的艺术家没有知名度，或是市场不太接受，当然就不好卖。有的艺术家是每个拍卖公司都抢着要，同一季每家公司的每场拍卖都可以容纳同一位画家两件、三件，加起来一季可以容纳几十件，市场需求大，自然比较容易轮得到你卖。有的艺术家，拍卖公司虽然勉强愿意收，但一年所有拍卖会加起来总共也只收一两件，如果市场上有几十件在求售，那就怎么排也轮不到你去卖。

　　第二，艺术品本身不容易"收藏"，会比较不好卖。比如说它是一个十米高的大件作品，能买的人本来就很有限；再比如说它是一碰就碎的玻璃宝塔，或需要特定温度经过控制才不会变形的乳胶雕塑，要卖的时候，敢买的人也很有限。

　　第三，你买贵了，又不想赔钱卖，价格上面你不愿意妥协，那就不容易卖了。

名画背后的人脉存折

有一位台湾买家，三年前一出手就花了七百万美元买了一张画，这样的大手笔，立刻惊动了拍卖公司，让他瞬间被列为重要客户，成为所有拍卖公司锁定的对象。

当佳士得拍卖在香港举行晚宴的时候，他也会受邀。佳士得的大股东皮诺（Francois Pinot）也是PPR（巴黎春天百货）与Gucci（精品集团）的大股东，会亲自出席这样的餐宴，亲自接待贵客，这是大艺术家跟大老板、大收藏家互相认识的顶级场合。

从此这位藏家就常被邀请去巴黎享受最好的红酒，享受最高档的饭店，跟欧洲社交圈的皇族、名人、企业家、时尚人士结交为朋友。他去参观世界级大艺术家的工作室、出席私人派对及只邀贵宾的开幕……他的社交圈人脉完全被打通到另外一个境界，从头到尾就只是因为他买了那张七百万美金的画。他心理上得到很大的满足，觉得他买这张画真的是买对了。花一样的价钱，如果只是在台北市买一个两百坪、每坪一百万台币的豪宅，社交的层次就依然停留在台湾的富豪圈，不可能因而就认识了欧洲的皇室、西方的大亨，等等。

以前收藏水墨画的人，买买政府高官的国画老师的画，或在官员升迁之时，送上一幅画马又画猴的"马上封侯"图，其实也都是为了社交功能。我父亲就买过很多水墨画，他买画主要是为了人际关系。同一桌打麻将的另外三个人都买了，或是其中一个麻将咖就是画家本人，让他不得不买。我们家里挂的其中一幅水墨画，还是宋美龄的老师画的画，客人来访时，一定会说："哎呀！你有蒋夫人的老师画的画。"这就是买画的社交功能吧！

一件艺术品等于一张会员证

西方还有一种赏画派对，有一幅新画到了，他们会郑重其事地用布把画盖住，当晚大家还是一样喝酒聊天，当要把这块布掀起来的时候，就宣布："毕加索的画到了，请大家来一同欣赏。"无非就是制造一个大家欢聚的场合。就像小孩满月庆生，主要还是大人在聚会喝酒。台湾收藏家最有名的几个联谊社团，往往全是上市公司老板，你认为他们见面的时候都在聊宋朝的瓷器吗？他们应该也会聊一下生意的。

不过，收藏艺术的社交功能也可能带来负面评价。如果你品位很差，地位当然会降低的。听说某个西方的专家，曾被聘到香港去看一位有钱人的瓷器收藏，可是他入眼看到的都是假货，又不好意思讲，因为替这个有钱人买瓷器的所谓顾问也在场。这个西方专家看了一整晚的假瓷器，还要不断找出各种称赞的话，闪烁其词，只求脱身。当然那位专家回去后会告诉别人，香港有个毫无见识的凯子，买了这么多假东西，这个有钱人的社交地位当然会降低，沦为笑柄。我们只能祝福他永远不知真相，自己高兴就好。

高门槛，就是一种乐趣

对于上流社会来说，买艺术品的高门槛，就是乐趣的来源之一。为什么他们会愿意缴会费去参加某些俱乐部？因为俱乐部规定只有会员可以进来，这个门槛使他们不必跟其他人挤在同一家餐厅吃饭、同一个球场打高尔夫球。

我做专访节目《真情指数》的时候，有次请我的好朋友、常玉画作的权威专家衣淑凡来谈常玉的一生，因为连常玉的后代都没有她那么熟悉常玉。访谈当中，我问衣淑凡："你觉得买艺术，是不是主要是有钱人的活动？"衣淑凡是一个非常直爽的人，顺口回答："对啊！"我们自己觉得完全没有争议。没想到节目播出后，我遇到一个台湾的拍卖公司老板，她跟我说："你那一集播出之后，我认识的不少收藏家很生气。抱怨你们怎么可以在节目上讲说，买艺术是有钱人的活动？"我说："要不然呢？难道是没钱人的活动吗？"她说："那你们也不能直接这样讲啊！"

收藏艺术能让各行各业的藏家聚在一起，一张画可能就是社交圈的一张门票。

我完全不解这些人的抱怨，我不知道这些收藏家，是不是觉得这样说诬蔑了他们对艺术的爱，可是反正如果我再跟衣淑凡做一次访问，我们的对答还是一模一样。连本来属于全体市民的Banksy的街头涂鸦，都已经被一墙一墙地挖下来送去卖了，我们实在无法假装买艺术和金钱没有关系。

其实我认为提到钱，绝不会因此就抹杀了购买艺术者对美的品位和热情。这些是可以同时存在而不悖的。何况不少收藏家都盖了私人美术馆，供不买艺术的人也能无负担地欣赏艺术。这也是以金钱加上对艺术的爱，回馈大众的一种方法啊。

很多上市公司的老板，他们买一只基金，可能只花几分钟，就决定投入三百万美金，但是他买一张三千美金的画，却会兴致勃勃地坐在画廊里面跟主人聊一个下午："这艺术家有没有前途啊？他明年后年作什么展览啊？美国有没有人代理？他一年画几张画？"好像比投资基金还慎重。我发现，这些有闲钱的人，不是把买艺术只当做投资，买艺术可以让他们觉得与众不同，这是收藏过程里面他们很享受的部分。

艺术主题旅行的乐趣

平常印象中的画廊，常常流露出距离感，这对一般人来讲也是一个门槛。画廊常常不是透明到让人一眼看透里面挂了些什么东西。进去也没有餐厅那种热切的招呼，里面常常空空的，艺术品也没有说明。这一切都不像去逛百货公司，好像一切游戏规则都隐藏在后面，但其实，有些艺术交易的场合，完全没有那么拒人于千里之外。

拍卖会场？你随时可以走进去；看艺术博览会？只要买票就可以进去；一般画廊开幕酒会，你走进去参观，没有人会拦你，而且很欢迎。

大部分买家都不是艺术圈的人，做纺织的、做电子的、医生、律师，平常互不相识，但在一个画廊开幕酒会里面，他们有机会结交成朋友。另外像国际上几个重要的art fair（艺术博览会），白天有展览，晚上是一个又一个派对，你可以去认识人、交朋友，谈艺术创作、谈艺界八卦、谈艺术的生意，或是谈其他的生意。

台湾也开始有专门的旅行团，会带大家一起去看展览、看古董、看艺术。像是美学专家蒋勋先生就带过专门看卢浮宫的艺术旅行团，这也是一种因为爱艺术而形成的社交功能。同团的人可能是贵妇，也可能是不买艺术品的人，但却都是艺术爱好者。

来自陈冠宇的提醒
艺术品的应酬功能

中国传统的水墨画家，会把送画当做一种社交手法。张大千为了要建立他的社交网络，就会很周到地送。他很体贴，假设你的夫人生肖属猴，每年生日他都会画一只猴子送你。我们说有一路的水墨画是"应酬画"，永远画一棵松树、仙鹤，祝人家松柏常青、松鹤延年。艺术家本来就会把送自己的艺术作品，作为强化人际关系与社会地位的方式。

当代艺术的经纪人，其实也用这招，只是方式不同。当经纪人要为代理的艺术家，进行市场或学术上的运作时，经纪人会跟艺术家沟通，把作品送给包括策展人、美术馆馆长、艺术杂志或是媒体等重要人物。但是当然，这绝对不是铁律，很多艺术经纪人不用这种手法，更多馆长、策展人、记者、艺评家等等，是不收这样的馈赠的。他们依据的，都是专业的判断。

"机会"，还是"命运"？

我有一个朋友，到画廊买某位画家的作品，他坚持一定要杀到八五折，但是画廊老板非九五折不卖，一度僵持不下。我这朋友其实买的量不少，一共买了四幅，最后老板也退了一步，虽然还是只给九五折，不过又再加送一张其他画家的画，来弥补我朋友对折扣上的不满意。没想到，老板多送的那一幅画，后来的增值竟然超过我朋友原本挑选的四张画。买艺术品的过程中，常常像这样带有一抹游戏色彩，像在说老派的"大富翁"那样，一下抽中"机会"，一下抽中"命运"。只是，投资艺术的趣味看似迷人，我也必须要提醒你，不能忽略它的高风险。

艺术投资很可能求售无门

陈冠宇强调艺术投资最明显的风险，就是非常难流通，也就是说，買艺术品常常有一种较劲意味，比品位、比眼光，个中趣味看似迷人，但也别忽略它的高风险。

当你想把一件珍藏的艺术品卖了，是否有渠道可以很容易脱手，还是空有很高的"估价"，却找不到真的愿意拿钱出来的买家？

如果你不是大客户，或你想脱手的画很普通，拍卖公司懒得收，画廊也懒得帮你卖，最后你根本不知道卖给谁。正好缺钱的人，可以拿房地产去跟银行借钱，甚至把价钱降低一点，很快就能卖掉，如果有劳力士表，也可以拿去当铺换现金，但是拿着一幅当代艺术的画去当铺，当铺会傻眼。对大部分人来讲，找不到一个可以救急用艺术品换现金的机构，除非你有广大的人脉，刚好找得到人愿意接手。

买艺术品一旦套牢，很可能套牢一辈子。套牢不是指你舍不得低价卖掉，而是你价格开得再低也求售无门，这么看来，画可是比卖不掉的股票更符合"壁纸"这形容词呢！因为它还真的可以挂在墙壁上啊，哈哈。

艺术里的金钱游戏——搞懂玩家心理，占住你的位置

来自陈冠宇的提醒
投机就容易掉入陷阱

  散户一旦开始作艺术投资，如果抱持过于投机的心态，很容易掉入庄家的陷阱，这跟股市几乎是一样的道理。当很多人在放各种利多消息，就是庄家打算出货的时候。股市的庄家手上如果已握有一大堆股票，为了顺利出货，会不断释放利多，不断拉抬股价。换成艺术市场的例子，英国一位大收藏家萨奇（Charles Saatchi），其实就是大庄家，他是一家知名广告公司的老板。过去几年，他买了很多中国当代艺术的作品，举凡被他买到、收藏到的艺术家，头顶都加了一圈"被萨奇点到"的光环。除了本来就已经成名的大艺术家，其他只要被他收藏的新人艺术家，身价立刻水涨船高。

  于是近几年，很多人循着萨奇收藏的轨迹，跟着买这些新人艺术家的东西，大家相信萨奇的眼光加影响力。但是，萨奇是在2006年、2007年买进，那时候是中国当代艺术市场最热、最好的时候，也是价钱最高的时候。因为萨奇买了，艺术品数量又有限，所以这些跟随者费了很大的劲，花了特别高的价钱，才买到这些年轻画家的画作。

  接着，金融海啸来了，萨奇开始把前两年买进的画作，大量卖出，原因我们不必揣测。他从2008年的冬天，一直到2009年，不断出货，将手上的中国当代艺术作品脱手。而原本跟随他追逐这些年轻艺术家作品的人，因为买的价钱都远远高于市价，所以很多遭到套牢。

这些跟随者，都堪称消息灵通人士，才能打听出萨奇到上海、到北京都买了哪些画，大家就好像得到超级内线消息一样庆幸，可惜后来反而是让自己用过高的价钱，买到了一些回头看是赔钱的艺术品。这是萨奇这次带给艺术投资界的一个教训。

有些艺术家几年前比较不重视华人的买家，在市场好的时候，不太积极卖东西给华人；但只要是来头很大的老外一出现，就愿意用很低的价钱卖给对方，这很合理，因为可以四处跟人炫耀，谁谁谁买了他的作品。他们本来以为一定会被放进萨奇在伦敦一座很棒的美术馆，永久悬挂在里面，没想到两年过后，萨奇却把他们的艺术品在市场抛售，任何人出钱都可以接手，这让艺术家们很心痛，可以说是"我本将心向明月，奈何明月照沟渠"。

散户使尽浑身解数，去得到内线消息，可能终究还是一场空。因为即使真的在半年之内，价格上扬到某一个程度，你也不见得可以在最好的时间点卖掉，毕竟要等到大庄家们都优先把东西脱手获利了，才轮得到你，而时机可能已经过了。

买艺术品，最好要有长期投资的打算，让艺术品随着时间增值，享受艺术家愈来愈受重视、愈来愈红、价格越来越高的快乐，而拥有的这几年或几十年，你也真心喜爱这件艺术品，这才是最合理、最舒服的投资心态。

为了存画换新家

我朋友多年前看上一幅曾梵志的画，那张画高度近三百厘米，当时售价美金一万。因为尺寸太大，家里放不下，如果买了就必须帮它找仓库，所以当时放弃没有买，后来大概变成两百倍的价钱。我朋友因为不愿意付租仓库的成本，所以失去了两百倍的增值。

这里要说的是，买艺术品不只要付出金钱成本，还要考虑到衍生出来的仓储、运输和保险成本。陈冠宇有个朋友开画廊，仓库在一楼，有次淹水淹掉了三十几幅油画，必须送修，其中有些可能完全损毁，这是存放风险。

存放风险还有另外一个例子，台湾的历史博物馆曾经办过常玉的展览，但其实有很长一段时间，常玉并不那么有名，画作存放比较简单，这些作品在博物馆的仓库里待了很久，存放的时候，为了节省空间，油画是面对面贴着放的，等到多年后要拿出来展览时，画面上的油彩有些都互相黏住了，花了很大的力气，才一张张分开来。另外，有些当代艺术品外形奇特，存放在美术馆时，清洁人员因为不知道那是艺术品而直接把它当废弃物清理掉，也是时有所闻，并非开玩笑。

现在亚洲城市的住房习惯，对于私人收藏艺术品也有很大的障碍，很多气势惊人的、重量级的画或雕塑，连住所的电梯都装不下，楼梯也抬不上去。有次陈冠宇买了一幅画，找来吊车要从阳台吊进去，还把落地窗都拆了，但是画比落地窗还高，还是进不去屋子里，只好眼睁睁看它吊上去又放下来，吊车出动一次就要好几千块，等于白花了，最后只好再找大货车送进仓库里，租仓库还要每月付租金。

以台湾来说，艺术品仓储空间，收费大都是按坪数计。中国香港或新加坡，则有专业的艺术仓储，是按作品尺寸计，也有提供安全保护，提供恒温恒湿，还帮你建立档案。当然，服务越好，收费越高。

国外买画，要考虑运费成本

运费的成本，你从日本运来、从美国运来当然都不一样。有些人为了省钱会选择海运，速度会慢一点，有受潮的风险；选择空运则可以快一点，可是相对昂贵。如果是雕塑作品，可能又大又重，运费又更贵。

如果从美国纽约空运一张两米乘一米五的画，必须先打包装箱，送上飞机，然后到机场报关。报完关之后，再运送到你家，整个过程至少要几万元，保险和报关的费用，则是看作品的价格。如果买的是相对便宜又大张的画，一张五千多块美元，但运费加上保险，竟然要再多花六千美元，都比买画的价格还贵了。

以前印象派时期的画，一般来讲都没有大到很吓人，多半是稍大于小窗户的尺寸。日本很多画作也是小小张的，去画廊买画，用手就可以提回家，因为日本的居住空间就是那么小，太大张的画，很难放在家里面。可是曾几何时，当代艺术家动不动就来一张两米乘以四米的画，通常这些画只好直接进仓库，朋友来家里也看不到，自己也看不到，只能看看照片。

太计较衍生费用，不适合投资艺术

当然，会收藏艺术品的人，很多也会有一种浪漫情怀。有一次我去参观广达董事长林百里设在公司里面的广雅轩画廊，里面以张大千的美人画为主，我问他是否有投保？他当时说没有："如果真的烧光了，赔给我钱也弥补不了啊！又没有办法赔我这批画！"他费尽心血从各个渠道去收藏名作，有一天他可能会捐赠给美术馆，也可能会自己盖一座美术馆。他这当然就是收藏，不是投资。我们不少买画的朋友，听说自己收藏的画增值，听了都很得意，可是问他什么时候要卖，他又说这辈子都不卖。对于这样的收藏家而言，增不增值和要不要卖，是分开的两件事。

陈冠宇算这些费用给大家听，是要告诉大家要有心理准备，买艺术品衍生出的费用，是另一笔可观的金额，如果这些费用会让你心痛得受不了，那你大概不适合投资艺术。

来自陈冠宇的提醒

艺术品越大，买家的仓库就越大

大部分的专业买家，其实不会太计较衍生成本。假设一件作品是十万美金，运费只占了大约百分之三；但他如果是以投资获利出发，追求的不是百分之三、百分之五的利润，而是百分之百、百分之二百的资本利得（涨价的差价），所以不会太计较运费、仓储这些成本。

当代艺术存在很多大型的装置作品或雕塑作品，收藏超麻烦。很多地位、名望很高的当代艺术家，都是做这种类型的艺术品，像黄永砯[1]、陈箴的大作品；过去通常是美术馆在收藏，但是现在很多拥有私人美术馆的私人收藏家，很喜欢收藏他们的作品，就要付出很高的存放成本。

这些成本可能会让许多人却步，不过如果你是认真要投资，一旦有机会用合理的价钱，买到很好的东西，也许不应该让存放的成本阻碍你，到现在我还偶尔因为存放困难而放弃入手，结果每次都追悔莫及。

[1] 黄永砯（1954— ），中国当代艺术家，作品以带有中国哲学意味的雕塑及装置艺术闻名。

艺术里的金钱游戏

帷幄中决胜千里外

艺术品的"金砖四国"

陈冠宇介绍一位极有代表性的收藏家：欧洲某国十几年前驻华大使，驻华期间曾走访许多艺术家工作室。在那个时间点，买艺术品的人很少，艺术家常常必须兼着做点别的，来维持基本收入，于是这位前大使得以用很少的代价，买到了很多很棒的中国当代艺术家作品。大使先生来自一个有收藏传统的家庭，很爱艺术，是一个严肃的收藏家。虽然他至今没有卖掉手中的收藏，可是估算他收藏品的价值增长，这十几年来，获利超过一千倍！这可以说是完全受惠于中国国力的发威及经济快速成长。大使先生勤访艺术家，有品位，有热情，见多识广，能大略预知世界趋势，他在对的时间、来到对的地方。他鼓舞了当时许多艺术家，也为自己建立了美好的收藏。

另外一个例子。纽约曾经办过一次俄罗斯的当代艺术拍卖，拍卖品有一半以上是由一位美国的前驻俄罗斯大使所提供。他也是在驻俄期间，用很有限的资金去支持当代艺术家。同样地，受惠于后来石油上涨、苏联解体，整个社会更富有，这位美国大使的整批收藏，在苏富比拍出千百倍的价值！这两个例子证明，买艺术是跟整个国际趋势连在一起的，如果忽视这个部分，有可能会作出错误判断。

艺术年代的启蒙，
从"群聚"开始

著名艺术家叶永青①有一次在喝酒聊天的时候告诉陈冠宇，曾连续两届策划威尼斯双年展的国际知名策展人史泽曼（Szeemann）被那位欧洲驻华大使介绍给一大群中国艺术家，酒酣耳热之际，这一大群都剃光头的艺术家②热烈地玩着当时流行的某种酒拳"小蜜蜂"，每个人挥舞着手臂狂喊，面红耳赤。

史泽曼说他当下亲眼目睹狂热的气氛，觉得这个景观太有力、太动人了，他嗅到某种变化即将发生，线索就是他所目睹的"群聚"。史泽曼的意思是：先进国家艺术在发展到较

❶ 叶永青（1958—　），中国当代艺术家。擅长油画、版画、漆画。

❷ 指中国当代艺术家叶永青，F4中的岳敏君、张晓刚等人，这几位艺术家皆为光头造型。

❸ 让·谷克多（Jean Cocteau, 1889—1963），法国导演，先锋派最成功也最有影响力的影人，同时是颇有成就的诗人、小说家、画家、演员和编剧。

❹ 苏丁（Chaim Soutine, 1894—1943），俄裔旅法画家。画风粗犷、夸张。

成熟的阶段时，大艺术家们才会分开来各自为政，可是在萌芽的年代，他们一定会"群聚"。毕加索与让·谷克多③、莫迪利阿尼、苏丁④……当年这些大画家也曾一起参加沙龙比赛，群聚在巴黎的咖啡厅里面，愤世咆哮，喝醉狂欢。史泽曼看到的那种群聚和奔放的情绪，也让他回忆起德国第一批当代艺术家的共同崛起。听说史泽曼当时就请太太带了摄影组来，把这一群光头大汉手舞足蹈、狂吼酒令小蜜蜂的景象拍了下来。他太太是位录像艺术家，后来这段影片就成为他太太的一件作品，并在威尼斯双年展上播放。叶永青说他去逛双年展时，忽然听到隔壁黑暗的房间传来"小蜜蜂飞呀飞"的狂吼，很意外，跑进去看，正是在放他们那一部影片，叶永青自己也在影片里面大吼大叫的。

原来史泽曼亲眼见到中国当代艺术的山雨欲来之势后，他在接着策划威尼斯双年展时，就发挥了影响力，那年全球共有一百一十多位艺术家受邀参加威尼斯双年展，中国竟多达二十位被选入，比例上前所未有。当时也发生了一些争议，有人说，凭什么让这么多中国当代艺术家进来？但是像史泽曼这种经历过艺术风潮洗礼的人，能够以外来者的眼光，辨认一个时代的艺术火势和风向。

学者与画商，谁的动作快？

做学术的人看得懂这群艺术家未来会有什么地位，可能会产生什么样的影响力；做市场的人一样可能是通过外人的眼光，看懂这股力量将来在市场会形成什么改变。

在上海，最有影响力的中国当代艺术画廊之一，香格纳画廊（ShanghART），其实是瑞士人开的。大约在90年代末，它仍只是上海复兴公园里的一个小店，低调地经营着。我当年去逛的时候，原本要去它旁边一个夜店玩，因为听说过这画廊的名字，晚上十点多经过时就去敲门，来开门的是老板劳伦斯（Lorenz Hel-bling），他很热情地说："你想看什么作品？"还从仓库搬出李山^①所画很大的马，完全不在乎我那时根本没钱买画，我离开时还送我很多画册。

多年后的今天翻看那些画册，当然会感叹张恩利^②、李山等等，都已成了身价惊人的大名字，但可别忘了这位劳伦斯当年远从瑞士来到中国，默默地、专注地投入青春，他做了他相信的事，而且坚持住，才写成一则画廊在异国生根的成功故事。

现在画都可多了，你去北京逛画廊会到

① 李山（1944— ），中国当代艺术家。著名油画作品是以毛泽东和莲花为主要图像的"胭脂"系列。
② 张恩利（1965— ），中国当代艺术家。是世界顶级画廊Hauser & Wirth签约的第一位中国艺术家。

798或草场地（位于北京的艺术特区），到上海会到莫干山路（上海画廊聚集地，里面必逛大画廊就是香格纳），你看到大张的曾梵志、大张的李山，一如当年我看到的那个尺寸，现在都已经由数万元变成数百万了。欧洲人对待一个异地社会的变化，他们一方面有参与的热情，另一方面，他们有信心"这个到了时候就会发生"。新兴市场多半会重演先进国家发生过的事，文化的历练，带给注意中国的欧洲行为家们丰硕的收藏果实。

艺术价值随着经济发展起飞

台湾的高科技老板里，有一位本来只买古董。可是有一次，我在一场印度当代艺术的拍卖会，发现他坐在我旁边。当时买印度当代艺术的人，还大都是印度自己的买家们，很少有外地买家感兴趣，但这次拍卖，这些印度买家发现，以往可以在低预估价范围就买得到的艺术品，却一直被后面这位显然不是印度人的神秘人物追价，就不断回头打量这位不知道从哪里杀出来的程咬金。原来这位老板，从自家企业的领域里知道印度的高科技在起飞，但他仓促间也没空研究印度艺术史，于是他采用一个很简单的方法，翻看目录上估价最贵的前三名，判断它们也就是印度当代艺术一般公认的前三名，然后挑选卖相最好的作品出手。事隔五年，那些画的价钱已经涨两倍到七倍不等了。就像听到中国要起飞，翻目录估价判断张大千最厉害，就选张大千最漂亮那张画，这样就很难出错。这是大老板的投资心法。

中国、印度、俄罗斯，这十年来的艺术品的价格起涨，跟经济起飞有绝对的正相关，所以现在很多买艺术的人，就把眼光放在下一波有可能的经济体上。不少人在看越南、印度尼西亚的当代艺术，甚至住在纽约的老美，还会去蒙古找艺术家收购当代艺术，都是一样的概念。这样压宝准不准？要看判断者的角度正不正确。

每一国都有出色的艺术家，也都有专家在研究，你遇不遇得到你信赖的专家，买不买得到该国最好的艺术品，你要自己衡量，当时间跟金钱有限，心力照顾不过来的时候，我会把金钱放在一些我比较懂的艺术家身上。买艺术品要享受乐趣，不要焦虑，也不要冒进。我一直幻想我要去莫斯科好好逛一圈画廊，结果写去给当地画廊的电邮都没有任何回复，我也就继续幻想。反正我的钱也根本不够买我已经比较熟悉的艺术家，还幻想去买俄罗斯当代艺术，还想要判断准确，这当然算好高骛远了。

从美术馆展览寻找明日之星

陈冠宇建议大家，实践艺术投资要先观察艺术圈有哪些掌门人。这些掌门人是艺术圈这种游戏的操纵者，能够从他们身上闻到多少先机，得到多少知识，那就是你判断的依据；包括大画廊的主人、策展人、当代美术馆的展览主题、重要媒体报道，都可以作为参考。

在这里提供一个方向，不管是商业市场或是美术馆，都会一直寻找新鲜的，可以提供新见解、新启发、新刺激的艺术品。当你看到重要的美术馆，像是古根海姆美术馆、日本森美术馆、英国的泰特美术馆……这些重要美术馆一旦开始锁定某个新兴国家策划特定主题时，意味着，这些美术馆已经对这个主题作了一定程度的研究，策展人团队应该也已经花了不少工夫，从这些新兴国家挑出最值得注意的艺术家，很多画廊的主人，会参考这样的展览内容，再造访该国，把这些新兴艺术家介绍给较成熟的市场。

来自陈冠宇的提醒
跨国愈活跃，"钱景"愈看好

有发展潜力的经济体，是尚未成熟的市场，变量比较多，而且当地也没有够大群并且够稳定的收藏家基础，必须仰赖外界的学术或商业认可，来支撑艺术家的茁壮。

如何判断某个市场该不该关注？我的标准是，观察这个国家在经济文化上面，跨出国界的能量有多大？像看中国，对全球经济已有很大的影响。俄罗斯的富豪则是到处买球队、买豪宅、买媒体，已买到欧洲去，甚至将全球第三大的拍卖公司也买下来。日本把汽车卖到世界各地去，日本文化更通过漫画、电玩的角色与故事，传播到美国的高中生身上。韩国也通过韩剧、电影、偶像团体、三C的品牌等，把文化传播出去。中东也利用金钱和石油，加上各式各样的营销方式，吸引全球的人去作投资、旅游。一个国家的文化、经济、社会、政治的传播力如果够强大，就不会只有本地人在关注它，就比较是底盘稳固的艺术市场。

如果你正好有家人在非洲做生意，很清楚当地的经济发展速度，也能认得当地大学里艺术方面的权威人士，这样你就算占到"地利兼人和"了，不妨在把生意做好之余，顺便注意艺术方面的动态，布线作一些艺术的投资，也许就能在"天时"也降临之际，享受到本书提到的这类丰厚的报酬。

从展览可以察觉风潮，动漫就是很明显的一种风潮。学院也开课讨论动漫这个主题，它已经由通俗文化跨进艺术殿堂，在市场上成功，也同时得到学术上的定位。

看动漫长大的人渐渐有钱了

知名策展人陆蓉之，2004年在台北当代美术馆办了一个展览叫"虚拟的爱"，几乎是台湾第一次大规模举办亚洲动漫风的当代艺术展览。奈良美智整个小木屋都来了，这是奈良美智展览的特别项目，在展场内搭建小木屋，展示作品与工作场景。村上隆的大徒弟Mr.①、青岛千穗②，韩国的权奇秀③都来了，三宅信太郎④还自己打扮成外星人，在美术馆墙上现场画一只一只的小外星人。把人头画成像水母一样飘逸的川岛秀明，则是把人的瞳孔画得细到不行，必须站在油画前面大概十五厘米才看得出有多细。

❶ Mr.（1969— ），日本当代艺术家。主要创作动漫造型人物，也从事行为艺术表演。

❷ 青岛千穗（1974— ），日本当代艺术家。目前属于村上隆旗下，专精计算机绘图创作，作品经常混搭现代感与日式传统文化元素。

❸ 权奇秀（1972— ），韩国当代艺术家。代表图像为简单黑色线条构成的微笑脸孔"咚古力"（Dongguri）。

❹ 三宅信太郎（1970— ），日本当代艺术家。夸张的漫画人物比例、朴实的手绘风格为其作品特色，代表图像为大头女孩"甜姐儿"。

当时我抱着好玩的心，自己召集了一个好友团，带大家去看展，帮他们做导览。当时我们一群人聚集在奈良美智的大娃娃前面赞叹着："好可爱啊，不如明天就去日本买一个多好?"但没有一个人真的付诸行动，那时候大概一万美金可以买一张很不错的中国当代画作，大家也就舍不得花三万美金买一张不错的奈良美智。如果当时有人看完展览后，第二天买机票到东京，把展览里日本年轻艺术家的作品各买一件，到现在大概会平均赚五倍左右。我们一群人眼睁睁地全部没下手。

从展览可以察觉风潮，动漫就是很明显的一种风潮。包括台湾的富邦基金会办粉乐町街头艺术活动，2009年台北富邦银行整栋楼都画满了大娃娃。学院也开课讨论动漫这个主题，它已经由通俗文化跨进艺术殿堂，在市场上成功，也同时得到学术上的定位。

动漫时代的艺术语言

在传统收藏家眼中，动漫艺术太可爱，不

❶ 缪晓春（1964— ），中国当代艺术家。以利用计算机绘图与多媒体技术进行创作而闻名。

够严肃深刻，也不够端庄，看来很像是小孩子的东西，太贵的话很难买得下手。我进电视圈正式主持的第一个节目《翻书触电王》，每集认真讨论漫画，节目中常常让大人、学生分成两派，学生都细细研究漫画，大人就不能同意。我清楚记得，当时的某某部长王建煊和台湾大学动漫社来上同一集节目，王建煊说，几十册日本漫画讲墨子（指知名漫画《墨攻》），不如他写一页论文可以讲得清楚。台大动漫社当场整个抓狂反击："你根本看不懂漫画，怎么可以把一页论文拿来代替漫画！"第二天，这个论战还上了报纸。

陈冠宇有几年投身网络游戏产业。他提道：2000年时台湾的网络游戏人口大约一百万人，到了2009年，大约膨胀到一千六百万人左右。另外，Sony的PS3、PSP，任天堂的DS，这些游戏机销售的增长，西方市场的不断扩大，这些都显示着年轻时代就是在游戏内容中长大，这是他们生活的一部分。未来，当这些人有机会成为意见领袖、富商巨贾，他们愿意花大钱去买的艺术品是什么？一定十分贴近他们成长过程中的向往和喜好，动漫无疑是最接近他们的一种风格。

收藏家难免有一种计较之心，高度写实的油画一张要画一个月，到了当代艺术，摄影作品是快门咔嚓一声，就可以印出二十张。何况现在渐渐连拍照的心力都可省略了，当代艺术可以用计算机就完成一张艺术作品。大陆当代艺术家缪晓春①，刚开始推出的摄影作品是用相机拍，后来的"创世纪"系列完全是用计算机画的。

为图像的完成，该花费多少心力，这方面的观念正在剧烈改变：我们看计算机修图这件事情，过去被认为是专业摄影馆拍照用的技术，可是现在随便一台傻瓜相机就有内建修图功能，小朋友放上网络时，照片都已经修好了。去看微博，大部分的青少年，照片看起来都是皮肤光滑、眼睛大、瓜子脸，只要修过就难免大家愈长愈像。青少年们认为，修图天经地义是摄影的一部分，不必觉得自己在欺瞒别人。这是他们的语言，他们的理所当然，甚至是他们的社交礼仪，等他们长大赚了钱，要买全程用计算机制作的照片，也应该会觉得心甘情愿，不会再硬要跟传统很费手工的油画作比较。

比头脑，不是比技巧

艺术界各个环节都会互为因果。可以理解美术馆希望展览受到世人肯定，被专业艺术杂志评为全球最厉害的十个展览之一，这才容易吸引赞助者或观光客。

当美术馆馆长要求新求变，艺术家也就会被带着跑。英国最权威的当代艺术奖泰纳奖，一个房间闪日光灯也得奖，一个穿着熊外衣的人走来走去也得奖，近几年每一年得奖作品都让大众错愕。你去威尼斯双年展，再怎么内行的人去看，也会多少觉得困惑，比方说走入房间，墙上粉尘会掉下来，开展第一天到展览结束，掉落粉尘的量都不一样。这要表达什么？很难懂吗？创作者就是在较量创意和制造话题的能力。

我向我的朋友推荐当代艺术的时候，实在很怕听到朋友说："这个我也会做！"这六个字像一堵墙，会挡住你跨入当代艺术的世界。美国大师波洛克，他的经典作品，把布放在地上洒洒油料，应该就超级适合一般人使用这六个字的。像是徐冰制造出整批你看不懂的文字，也会让一般人想说"这个我也会"吧！

一般人面对精细的油画就说不出这句"这个我也会"，但看到当代艺术，他很想这么说。可是我们判断一个当代艺术家的厚度、深度，不是看他创作的技法。比方说徐冰的天书，每个字都像是中文，但没有一个字读得懂，读不出音也读不出意义。可是你请徐冰阐述作品的想法时，知道他闭关数月刻木头，然后排版成一本书，一页一页地印出来，你会知道他做的是质疑文明根基或挑战文化传统的作品，不是任性的哗众取宠。

故意做不能卖的艺术

不少当代艺术家，也会去做不能买卖的艺术品，他们不是跟市场为敌，而是跟买卖这件事情保持一个距离。例如蔡国强做京都建城两百年的庆典时，从西安运到日本古老的酒，倒满京都地上的沟渠；然后瞬间点火，在黑夜里形成一个庆贺的图案，跟放烟火一样，发生几秒就结束了。名画家刘小东也曾把油画画在画廊的墙上，展完就把墙敲掉，让画廊没办法卖，艺术家有时就只是单纯想完成一件事，而不是做一桩买卖。

如果你有心走进当代艺术，请先收起既定的观念，不要任意动用"这个我也会做"这六个字。当然，如果感觉到不能信服，那就不用勉强买自己不相信的东西。很多大富豪翻开画册，只会被徐悲鸿①的写实画或赵无极的抽象画打动，那当然就不用硬要买张鹏②的浓妆小女孩摄影，或李暐③的肢体极限摄影，徒增心里的疙瘩。

❶ 徐悲鸿（1895—1953），中国画家。擅长水墨画、油画、素描等，作品融会传统国画基础与西方古典写实技法，代表作为《奔马图》《愚公移山》等。

❷ 张鹏（1981— ）。中国艺术家。张鹏的影像技术性很强，很多地方使用了电脑图片修改技术，但他的照片使人忘掉了他的技术语言，而是被画面吸引。

❸ 李暐（1970— ），中国行为艺术家。2006年被美国Getty评为31位全球最有创意的摄影师。

你看不懂，可能是艺术家太差

百分之百卖手艺的时代已经过去。"当代艺术"之所以称为当代艺术，因为它强调观念的创意，它反映社会、人群、政治、生活。从第二次世界大战之后看安迪·沃霍尔，他用丝网印刷，把名人或事件的照片复制又复制，这没有太难的技术可言，任何人去学丝网技术都可以做，但他突破的是观念，后来变成了波普艺术的经典。观念的突破才是当代艺术的价值。

微妙的是，不懂装懂，也变成观赏当代艺术的习惯了。我看展览常遇到"国王新衣"的状况。走入展览厅，会发现很多人双手交叉在胸前说："这个好，很有观念。"但我有时实在满头问号。有一次我研究一件作品很久，以为有了头绪，等到导览员出现介绍时，才知道这个作品要批判的是南非的种族主义，因为我们不是很了解南非的政治状况，听完导览才知道，跟我们刚刚想的差了十万八千里。

这也没什么，很多艺术家并不比你我高明，弄不懂他们的意思，可能是他们的问题，而不是你我的问题。但当你遇到厉害的艺术家时，一旦领会，可能会很佩服。收藏当代艺术的各界精英这么多，绝大部分是脑子很好的人，没有两把刷子，不太可能唬得住这些精英人士的。

随便想几位当代艺术家里面，即使是工艺部分也仍然精妙到令人赞赏的例子，我会想到李晖在切割一层又一层的透明板块时，计算之精准，以及运用光纤之细腻。或者，像艺术家李博①那样，用粗绳准确盘在画面上，再把拍摄的影像不差毫厘地印刷到绳子的表面去，也展现了崭新的视觉效果。

❶ 李博（1982— ），中国艺术家。擅长将绳子作为媒材进行创作。

❷ 格雷（Eileen Gray，1878—1976），爱尔兰裔女性设计师兼建筑师。

純粋的艺术与实用的设计，互相跨越界限，是正在发生的趋势。

桌椅直接变成雕塑

　　一个有趣的社会新闻。2006年3月某天，有一辆货车，车上下来四个工人搬着一张木头桌子，进了某知名大饭店的大厅说："你们老板叫我们来换掉大厅的那张桌子。"还好，主管机警地立刻询问上级，发现这是个骗局，成功地制止大厅那张昂贵的古董黄花梨桌被搬走。

　　妙就妙在，平常大部分在这饭店大厅走来走去的人，看它就是一张边桌而已。它就放在走道，也没有阻止小朋友去碰撞。只有识货的人会想出这招，"何不试试看，用一张烂桌子去换，万一换成的话，就是赚到几百万"。桌子就是桌子，你拿来放花瓶，跟拿来在上面写字办公，是不是黄花梨木，其实功能上没有太大差别，可是价值上有很大的差别。

　　2009年轰动的一件拍卖品，是已故时尚大师圣·洛朗客厅的一把椅子。那是1918年左右格雷② 设计的扶手椅，年份上还真不能算是多老的古董，专家估价在两百万欧元到三百万欧元之间，谁料到拍卖之时，只因为它是圣·洛朗最常坐的椅子，见过无数的达官贵人，竟卖到两千一百九十万欧元，吓倒一堆专家，这可比几位帝王的龙椅都更贵！但也由此可见，艺术收藏已经可以不拘一格含括我们认为实用的生活用品了，不少名家设计的桌椅灯具跟包包一样，都被认为是收藏品了。

设计师一把木椅能卖到四十万

现在如果去逛一些高级家具店，会发现有些家具已经贵到无法用传统的价格来衡量。比方说，以前你认为贵的家具，应该是象牙或黄花梨，或者动物珍贵的毛皮做的，要价一两百万可能还说得过去。但是这几年，你会发现一把看起来平凡无奇的木头椅子，售价竟要四十万，店员会跟你讲："这个设计师是比利时的谁谁谁。"并且让你看椅子某处镶的一块牌子，上面写着"限量五十把之十二"。你会发现这又是一款"限量"的新玩意，它不只是一把椅子，更是一件可以坐的艺术品。这位设计师已经脱离了设计师的身份，变成艺术家了。

❶ 杜尚（Marcel Duchamp，1887—1968），法国艺术家。知名创作是在"蒙娜丽莎"脸上加胡须。1917年，展出作品名为《喷泉》的小便器，被视为现代艺术的里程碑。

❷ 马克·纽森（Marc Newson，1963— ），澳大利亚设计师。作品涵盖家具、室内设计、客机座舱等，圆滑线条与鲜艳色彩是其著名的创作特色。

以前家具能够在拍卖市场创高价的，都是古董，古董珍贵的价值，来自于光阴淬炼造成的稀有。可是设计师做的家具是新产出的东西，却一出厂就定成艺术品般的高价，不免吓到只想来买椅子的生人。英国有一家很勇于创新的拍卖公司Phillips de Pury & Company，有现代家具专拍，里面都是近四十年内所生产、你可以在家具店就买到的经典款家具，现在全部都变成了收藏品。

传统定义里面，设计出的用品的功能，是应付人的需求，设计衣服是给人穿，设计房子是给人住，设计家具是给人用的。艺术品则是不服务人，它的存在本身就已经完成了意义。比如说当代艺术史里面革命性的一次创举，当代艺术之父杜尚①把一个尿斗，从厕所搬到了展览里面，就突然变成了一件艺术品。这是艺术的宣言："我摆脱功能，独自存在，我自身就已经完成我的意义了，我已经丰富到足以供大家各自解读了。"本来好用、好穿才是设计师该追求的目标，可是如今设计师不甘于此，他们设计出一些不好用、可是却呈现某一种美的东西，超越了实用价值。

设计师的艺术，照样很贵

我们看到这四五年之内，有些原来做当代艺术的画廊，开始代理设计师、建筑师。例如，全世界最大的当代艺术画廊高古轩（Gagosian Gallery），他们代理知名设计师马克·纽森②；英国Timothy Taylor画廊，以前代理过波普艺术大师安迪·沃霍尔，现在也代理以色列裔设计师朗·阿列德①。在当代艺术里面，家具设计师的地位愈来愈崇高，设计师与艺术家的界线愈来愈模糊，这种设计师的艺术（design arts），是正在发生的趋势。

你问为什么这样也可以？我只能回答：操纵艺术圈的大庄家们，包括收藏家、画廊、美术馆，一旦认可这件事情，就成立了，他们说了算！那他们为什么认可这件事？应该是有些设计师的创造力，真的比艺术家们还强得多，何况这也带来新鲜感。其实设计本身就是一种美，雨伞很漂亮，回形针也很漂亮。我正在设计cai这个品牌的衣服和高跟鞋，我做功课时也觉得有些衣服和鞋，真比有名的艺术品还美！只要到了有一天被艺坛的庄家界定为艺术，它就会变成能增值的、能在艺术市场买卖的项目。想想，Nike球鞋如果某天设计出一双纯金打造、穿不进去的球鞋，可能变成艺术品吗？只要有公信力的画廊说："对，我要开始代理Nike黄金球鞋！"它就会变成一件难求的艺术品。艺术市场有史以来就跟普罗大众无关，庄家们不必说服普罗大众，只需说服那群精英小

① 朗·阿列德（Ron Arad, 1951— ），以色列设计师。喜欢尝试不同材质的运用，家具作品重视线条美感。

当代艺术从来就没有把自己限制在画布上，各种素材都可以创作。

众，拍板定下规则，游戏就可以开始。

因此，设计师本身的创作概念，也同时发生改变。以设计师Marc Newson和Ron Arad为例，过去的设计原则是有风格但也实用，跟家具公司或商品公司合作，把产品放在店里贩卖。可是自从跟当代艺廊合作，他们的作品取向也开始变化，对材质作各种探索，有更多的抽象成分，灌注了更多理念。Marc Newson设计不锈钢的沙发，本身长得就像一块不锈钢做成的大石头，你躺在上面会觉得很冰，会滑下来，坐不久，你衣服的扣子还可能会在上面刮出一道痕迹，实在不利于让人坐。Ron Arad也去做Bodyguard那种根本无法坐的椅形大雕塑，操作策略也比照雕塑的策略，例如做五个版数（在市场发行的数量）加两个AP（Artist Proof，艺术家保留版）。规格都渐渐跟我们原来认定的艺术品一模一样。

我记得有一个有钱人讲的一句话，记者问他："你这艘游艇要多少钱？"他回答："如果你有考虑过要花多少钱，你就不够有钱！"这种财力的人当然可以随手就买二十把Ron Arad的椅子，照样放在饭厅里，给大家随便坐，还可以容许你把酱油倒在上面。

艺术不再高高在上

反向的跨界也使很多艺术家受邀去设计可以使用的家具，从艺术往设计的方向走。村上隆设计了很多大家都认得的图案，他的公司Kaikai Kiki也要开始准备设计家具。艺术家林明弘则是以他设计的花布去跟意大利家具厂合作，他甚至还有一批作品是地板。也就是别的艺术家把作品拿到会场陈列的时候，整个会场的地板是林明弘创作的，参观者都踩在他的作品上。平常你参观画展，常常有一条红绳子挡住，请你不要靠近画，可是林明弘的艺术，任你用皮鞋踩。完成这个使用功能后，照样还是会被当成艺术品慎重收藏起来。

有些奢侈品牌也一直通过艺术提升形象，向金字塔顶端的消费群宣示："我们跟艺术的联结很紧密！"香奈儿做Mobile Art（可移动艺术），在全球巡回以可拆搭的美术馆做艺术的展览，邀集了全世界几十位知名艺术家参与，卡地亚（Cartier）也一直在赞助做艺术，每年选艺术之星。

但也有精品希望被认定为"用品"。像Hermes曾经强调过："我们做的是工艺。"工艺就是能够用的，但如果有一天他们态度改变了，每一款丝巾只生产一条，就会是艺术，会裱起来放在墙上，不会让人挂在脖子上。

美国知名黑人歌手Pharrell Williams也去做设计，做T-shirt。他创立一个潮流品牌Billionaire Boys Club/Ice Cream，造成热卖。接下来他跟法国知名家具品牌合作设计椅子，然后在法国最好的当代艺廊Galerie Emmanuel Perrotin做展览，第一次展览就销售一空，买的人都是当代艺术收藏家。很可能收藏家们开始热爱更生活化地享受自己的品位，不要像他们的祖父辈，只能把品位挂在墙上用看的。

当代艺术倒是从来就没有把自己限制在画布上，各种素材都可以创作。像草间弥生，她在1960年那么早的年代，就已经做沙发跟球鞋，例如随便把一双球鞋拿来，上面画圆点；用圆点花布扎成一张沙发床；也会把橱窗里的人体模特儿画上圆点变成艺术品。草间弥生之所以创作圆点，据说是从十岁开始，视网膜会出现圆点，她连十岁时画妈妈的肖像，妈妈脸上身上都布满圆点。草间弥生感觉到一种恐惧，好像有一种病毒蔓延的感觉。无所不在的圆点，一方面造成她的困扰，一方面成为她艺术的特色。所以她的圆点蔓延到服装，蔓延到沙发，蔓延到整个地面，蔓延到所有作品。她会把几千颗反光的球丢在草皮上，就像整个地面都被圆点占据一样。

在草间弥生看起来，大概根本不必区分坐的椅子、穿的鞋子到底算用品还是算艺术品吧？

来自陈冠宇的提醒
限量才会产生价值

　　有些高级定制服装贵到一套十万、三十万，可是没办法变成艺术品，到现在还没有明确的收藏市场出现。为什么？有些东西漂亮到接近雕塑的境界，比方说某些高级音响的扬声器，线条、花色、造型，本身就像一个花瓶或一个巨大贝壳，这些扬声器，有一天会不会变成收藏品？

　　很多漂亮的东西，因为无限制地大量生产，永远都买得到，它就不太可能被视为是艺术品，价值就没有增长的空间。有一类收藏品，不但数量有限，而且会日渐减少，那当然也就提供了增值的机会。像特定年份的酒、茶砖，愈喝就数量越少，这类收藏品当然也会涨价。只是它们提供的，是味觉的享受，以及炫富的痛快，和只能观赏体会的油画、雕塑，提供的是不同的乐趣。

网络带来的全球化，使艺术不如以往高高在上，而更容易亲近大众。

信息发达是双刃剑

　　玛丽·布恩（Mary Boone）画廊曾是纽约最了不起的画廊之一，画廊女主人等于是艺坛呼风唤雨的女王，有阵子她的影响力逐步减弱，纽约艺术圈不再听她号令了，可是有一群艺术家那阵子刚好离开纽约回到中国，他们也就因此不晓得玛丽·布恩已经式微的事。在这群中国艺术家心目中，如果能被玛丽·布恩画廊选中，当然仍是无上荣耀。这样一个阴差阳错的误会，后来却促成了一段佳话：已经式微的玛丽·布恩开口邀这些中国艺术家办展览，立刻得到他们欣然答应，一批中国的重量级艺术家都加入，登时造成话题，也把玛丽·布恩再度拱上风云画廊的地位。这是信息不流通时代的美好故事，以现今信息交换的速度，玛丽·布恩可能就无法顺利请到这些艺术家。

网络对艺术推波助澜

以前台湾的画廊老板，奔波在东京、巴黎、纽约收画，带回来的画作，在台湾可以卖到数倍的价钱。同样的事情，在今天就不容易发生了，法国大画廊的任何一张画，一般收藏家都可以利用网络或电话，问到这张画在当地的价钱。如果要购买，只需要多付运费、关税、保险费，就可以入手，使得中间的画商无利可图。这种交易形态的改变，也是全球化时代的风貌。

过去我们也很难收到较陌生国家的拍卖目录，比方说荷兰的、以色列的，现在拍卖信息都在网络上，我们还能用网络竞标，参与的人更多元、更复杂，在市场好的时候，很容易推升艺术品的交易价格，因为过去无法到场的人都可以同场竞价了。

所以，通过网络来推动，是艺术家很重要的助力，艺术经纪人不太利用网络把艺术家介绍给远方贵客，速度与广度就会比别人差一截。

就像以前唱片公司的模式，是由公司独裁地决定哪一个歌手有资格发片。到了网络下载音乐

 ❶夏加尔（Marc Chagall，1887—1985），俄国画家。夏加尔以少年时期故乡的风物为创作源泉，色彩明亮而华丽；以"爱"为主，常在作品中抒发出对妻子贝拉的爱意；想象力丰富，充满幻想。

的时代，一个默默无闻的美国得州小乐团，可以东弯西拐地被一个韩国摇滚乐迷听到。这个乐迷可以在微博上帮小乐团推广，突然在韩国就有了一千个粉丝，这一千个粉丝如果愿意集资，也能促成这个得州小乐团去一次首尔，做一场小型演出，可以跳过以往挡在中间的各种大小中介。艺术家也一样，我每个礼拜收到各地画廊的电子通讯，有空点进去看一眼，偶尔有吸引我注意的作品，价钱如果又跟买一台名牌计算机差不多便宜，我可能就会买。在以前，一个埃及或悉尼的新人画家的画被买去台北，根本是听了都觉得麻烦死了的事。

神秘感要维持

相对地，信息太透明对艺术品也有坏处。比方说，你再怎么喜欢的一幅画，如果通过电子邮件被各国画商来来回回地兜售，当同一幅画在市场上密集曝光四到五次，这画的光环很容易被洗刷掉，得不到好价钱。想象你老是看到同一件艺术品要卖，难免会像看到一位美女老是参加相亲活动，会觉得扫兴。

我也认为以后艺术的消费，会出现新的付费与购买方式，就像音乐与文学，面临着网络下载及电子阅读的变革。《数字革命》作者尼葛洛庞帝（Nicholas Negroponte）在书中提到，有一天你家客厅可以租数字的画作，付了租金，每月或每周可以换一幅画，今天挂毕加索，下周换夏加尔①。到时候，一张两亿元的毕加索原作真迹，跟两元租一个月的毕加索，带来的赏画快乐可能非常接近，甚至你的显示屏比原作大好几倍，看起来会更爽快。

等这一天真的来临，一般人将会觉得艺术变友善，因为他们能近距离感受到艺术的美好，让许多冷门艺术家会有更多活路。当然，艺术市场的顶级客层也不会变，因为高价艺术真品还是珍贵的资产，会被淘汰的是中间那一块不上不下的市场，例如名画的复制海报，等等。

第三封电邮才问价钱

全球化时代请当心一个陷阱。有少数庄家会利用信息的流通，加上远距离的隔阂，来散播对他有利但误导你的信息。比如说一个伦敦的画商，如果想引诱亚洲买家上钩，先在伦敦炒作出一个很高的价钱，消息会很快传到亚洲买家耳里。在伦敦作价五十万英镑，就可以引诱亚洲买家用二十万去追逐这个实际是十万英镑价值的艺术品。地理和语言的距离终究还是足以阻碍某些真相。

另外，请注意跟画廊交涉的技巧。前面有提过，如果你一进店里就指着作品问价钱，有些讲究身段的画廊，会认为你很鲁莽。虚拟通路也一样，用电子邮件跟画廊往来的时候，最好也要过招两三回，经过一番寒暄再碰触价格问题。

像我这样的普通爱好者，写信给欧洲的陌生画廊，第一封信通常会介绍自己的背景、称赞对方的品位，简单提到为什么对这位艺术家感兴趣。对方如果回信，通常会推荐你几件作品，但还是不会告诉你价钱。到了第二封，我会问他这些作品的材质和尺寸、年份，第三封才会问出价钱。

最后第四封信，当然要争取一些折扣，但你必须根据前三封信判断他是哪一派的画廊。如果他显示很急着做成生意，你也许可以直接请他给你折扣。你也可以运用你的人脉，例如通过你认识的香港画廊老板出面，跟对方商量，拿到额外的折扣。

来自陈冠宇的提醒

站上全球化浪头，扩大投资视野

全球化有几个现象。第一，艺术展览突破国界，很多艺术家被带到他生活以外的地方，跟他完全没接触过的其他艺术家同场展出，尤其最近十年内这样的趋势益发蓬勃。

第二，艺术品的购买和收藏开始跨界。以前，一本美国艺术杂志寄到台湾可能要一个月之后了，现在信息的快速流通，让收藏家的选择变得更多。当然，如果你办一本双语的艺术杂志，你能拉到的画廊广告，也应该比以前多了，因为柏林的画廊可能见识到上海买家的手笔，而想在中文的艺术杂志上登广告。或者，你没有钱办杂志，但有心力好好经营一个艺术介绍的博客或微博，只要你纳入英文，也有可能带来额外的收入。

第三，不再只限于同一区域内的艺术家相互被比较，创作风格可能会被拿来跟同属性的异国艺术家相比，同时艺术家被代理的舞台也变大了，可能一位四川的画家，多次参展有好的表现的话，会有首尔的、瑞士的画廊来谈代理合约，就像成绩好的电影，有机会多卖外国版权一样。这些都是全球化所带来的影响，建议收藏家、投资人、画廊，收集信息及看市场的视野，都必须跟着改变，来面对这样的变化，这是最重要的结论。

关于艺术，J. K. 大斗阵

◎买画确实很好玩，但说来有趣：真正好玩的是，有无数的画是我这辈子都买不起，也买不到的。所有无法到手的东西，都让我们抱着更多的热情和向往，活下去。

画家如果不聪明

蔡康永

① 格哈德·里希特（Gerhard Richter，1932— ），德国画家。抽象绘画、基于照片的写实作品、具有极少主义倾向的绘画与雕塑风格等等，格哈德·里希特不断地进行各种各样的尝试，他是一位真正的艺术家，不时地将惊奇带给这个既丰富又单调的艺术世界。

② 马提亚斯·怀瑟（Matthias Weischer，1973— ），德国画家。在国际艺坛上为德国绘画艺术的崛起作出了重大贡献。

③ 亚历山大·维诺格拉多夫和弗拉迪米尔·杜伯萨斯基（A.Vinogradov & V.Dubossarsky），俄罗斯当代艺术家组合。两人从1994年开始艺术合作以来，创作了许多令人难忘的作品。

画家不可能都聪明，画家只是会画画。就像企业家不可能都聪明，企业家只是会做生意。偶像也不可能都聪明，偶像只是很迷人。为什么要追究画家聪不聪明？因为画家常常要跟看画的人"斗智"或"斗力"。当然，画家画画的时候，可能完全没这样想。画家毕竟不是在拍电影，不用老是算计着要怎样打败观众。可是看画的人，就是会看着画，然后常常不由自主地进入"斗智斗力"的游戏。这种"斗"是竞赛，也是乐趣。

画家如果不是真的很聪明，不要轻易跟看画的人"斗智"。一定要斗的话，"斗力"

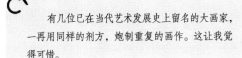

有几位已在当代艺术发展史上留名的大画家，一再用同样的剂方，炮制重复的画作。这让我觉得可惜。

的胜算大得多。原因很简单：看画的人，尤其是"专门看画"的人，不管是画廊老板、收藏家，还是艺评家、策展人，跟这批人斗智一定是费力的，这批人多少见过世面，也多少有点脑子，要在头脑上面唬住他们，不容易。但这批人多半不会画画，没有心力认真画画，所以画家一旦展示绘画本身的魔力，比较能慑服这批人。这是我说的"斗力"。Gerhard Richter[①] 在一个人高的画布上，画两根逼真的蜡烛，就够大家惊叹半天了。

很多精彩的画，实在没什么信息，没什么让人动脑筋的线索，但那些画让我们本能的目眩神怡。不管是Matthias Weischer[②] 捏造的复杂空间，或者是双人组A. Vinogradov & V. Dubossarsky[③] 洋溢出画面外的绮丽天光，都能轻易慑服我们。我们当然可以强作解人，为他们的画找到各种解释的角度。但我们心里知道，我们被慑服，只是单纯地慑服于画的力量，他们跟我们"斗力"，我们认输。人类本来就愿意花钱见识自己没有的力量。我们买票看球赛、拳击赛，买票听演唱会，几乎都是去见识我们自身缺乏的特殊力量。

但，如果画家选择走"斗智"的路线，想要在"想法"上面挑战我们、慑服我们，那这位画家恐怕要有源源不绝的想法，才会让看画的人，一次又一次的慑服、赞叹。我看Banksy的画，有时是"大象背着飞弹"，有时"猴子控制炸药"，有时"老鼠上街贴抗议海报"，我都觉得他的信息非常有力，有力到盖过画本身所散发的力量。这当然是因为Banksy出身街头涂鸦。涂鸦本来就应该瞬间夺目、一瞥即逝，是一种速战速决的艺

❶ 山口晃（1969— ），
日本画家。擅长以细
腻手法描绘东京的著
名地标。
❷ 拉比克·肖（Raqib
Shaw），印度著名画家。
❸ 尹齐（1962— ），中
国油画家。其主要个
展有《浮表的绘画》
（法国，2002）、《动
与物的标本》（北京，
2003）及2004年在法
国、西班牙等国的展
览。在第三届中国油画
展中，以"室内001号"
获中国油画艺术奖。

术。但是当Banksy的画，跟其他"斗力"路线的画摆在一起时，我确实比较没耐心在Banksy的画前驻足沉吟。他的画优先触动了我的脑子，但触动的程序比较像点燃了一根忽亮又灭的火柴。我相信Banksy无比聪明，他应该会逐步发展出别的作品形态，变得更耐人寻味。

有几位已在当代艺术发展史上留名的大画家，一再用同样的剂方，炮制重复的画作。这让我觉得可惜，他们已经发展出有代表性的符号了，确实难得，不该轻易舍弃。但是，如果他们察觉了他们的画，在"斗智"上已经渐失光泽，其实还是可以追求画作本身的力量的。像山口晃❶，或Raqib Shaw❷，在运用明确符号的同时，依然展示绘画的巨大魔力。他们"斗智"未必压倒你，但是"斗力"还是很够看。画家不聪明没有关系，到处都有不聪明的人，我就是其中之一，只是何苦在绘画上早早就自动弃械，把画画变成了连自己都觉得无聊的事？越搏斗，应该会越有力量。

◎原文发表于2008年5月《当代艺术新闻》杂志

你为什么不关灯看画？

蔡康永

我身边这么多说自己喜欢看画的朋友，但是真正发展出了独特的看画方法的人，目前只有一个，就是左治先生。

左治会把电灯都关掉，然后只点一支蜡烛，看家里的油画。在这种光线之下，每一幅画都变成了沉落在黑暗海底的神秘宝藏，而左治就像提着探照灯，潜入深海的潜水人一样，每一刻，都只能揭露宝藏的一小角。

烛光掩映明灭之间，蔡国强的爆破像斑驳的古地图、尹齐③的巨狗忽然毛纹剧烈起伏、赵能智迷茫的人脸像流沙散开、欧阳春的巫者或钻石都仿佛要呼吸起来。

左治这种秉烛看画的方法，当然不是发明，只是复古而已。

没有电灯的时代，无非就是借着天光或火光来看画。

有了电灯之后，尤其是在越来越喜欢明亮的"现代社会"，我必须说，大部分的美术馆，都太亮了。

卢浮宫太亮、奥塞美术馆太亮、纽约MOMA太亮，只要不是特别为了特定展览而把现场弄暗，就几乎都是太亮的。

那些伦勃朗、凡·高、弗朗西斯·培根[1]、卢西恩·弗洛伊德[2]，像艺术史的"物证"被陈列在亮晃晃的"物证室"里那样，被观察，被检视，被研究，但不可能是被我们用灵魂去拥抱，去磨蹭，去心醉神迷地爱。

不可能，因为太亮了。

如果小酒馆这么亮，我真的没办法被胡德夫的歌声弄得热泪盈眶；如果电影院这么亮，我也没办法看《四百击》看到热泪盈眶。

我回忆每次看到展览会有感动留存心中的时刻，脑中先浮现的，几乎都是黑暗中的时刻，就算在六本木街头的夜晚呆呆望着宫岛达男的巨大数字，都令人回味。艺术品像梦中的启示展现，而我像胎儿躲在幽暗的子宫里，漂浮着。

美术馆常常太亮，而且，人太多。

如果是我一个人坐在小咖啡馆里，望着一张蒙娜丽莎的海报，我心里的感受，也会十倍深刻于挤在一百人中间，遥望蒙娜丽莎的真迹。

黑暗可以隐藏其他人，人多的话，就要依赖黑暗的力量，所以即使你在爆满的剧院或音

① 弗朗西斯·培根（Francis Bacon，1909—1992），英国画家。擅用多变的技法以有力的笔触表现人物形象的孤独、野蛮、恐怖、愤怒和兴奋。

② 卢西恩·弗洛伊德（Lucian Freud，1922—2011），英国画家。以油画艺术饮誉画坛，被誉为写实绘画领域的杰出代表。

③ 侯俊明（1963— ），当代艺术家。以装置、表演艺术、大型木版画为主要表现形式。擅长私密且具仪式特质的前卫创作。

乐厅里面，你还是可以因为黑暗的保护，而躲在自己的世界里，被舞台上《暗恋桃花源》的独白所深深打动，或者一听到《图兰朵公主》的"公主彻夜未眠"，就激动得落下泪来。

可是，人多，又很亮的话，被感动会变得艰难很多。

美术馆参观的人多，从许多角度来说，都是令人欣慰的事。但如果一再地妨碍你被艺术感动，一再地让初次见艺术真迹的人，只感到嘈杂、麻痹、拥挤、疲劳，那么这些人从此以后就不会再寄望绘画雕塑能安慰他，能带给他惊喜或力量。

暂且抛开古典艺术，直接跳到当代艺术的话，"感动"二字，仍然值得拿出来讲吗？我觉得，是的。我当然也赞赏几乎只涉及脑力、文化意义和完成度的当代作品，像徐冰的《天书》，金氏彻平的微物累积作品，辛迪·雪曼的扮装摄影，这些我都赞赏。

但我也仍然在意"感动"的力量，我震慑于谢素梅在金门碉堡悬吊的巨大螺旋桨，我喜欢复述蔡国强在沙漠带着从没见过风筝的小孩放风筝的故事，我专注地感受侯俊明③版画里压抑不住的狂暴与愤怒，我在奈良美智那些寂寞娃娃的身上寻找自己的童年。

即使在这么"酷"的当代艺术里，我还是在乎感动，珍惜感动的力量。

你呢？你在艺术里，在乎的是什么？

你有多久，没有被艺术感动了？

© 原文发表于2008年7月《当代艺术新闻》杂志

艺术圈制造明星的招式好老套哦

蔡康永

娱乐圈的明星，有很多种诞生的方法。有的是漂亮到不行，一出道就红，像林青霞；有的是才华惊人，一出道就红，像周杰伦；有的一再修炼升级，气势越来越强，像周星驰；有的开一代风气，像小S。

八大门派之外，当然还有三十六洞、七十二岛、毒物专家、奇门遁甲专家，应有尽有，各据一方。

我常被娱乐圈外的人问道："某某人这么不像明星，为什么也能红成这样？"我通常没认真回答，但我心里一定会有独白："茫茫人海中，你偏偏会记得跟我问起这个某某人，光凭这一点，某某人就得红上一阵子不可。"

某某人是靠绯闻？靠裸露？靠发神经？靠家里有钱猛打广告？都可以，都很有趣。娱乐圈本来就是为了让人忘忧解烦，让人目眩神移，让人七情六欲、颠倒梦想的。

艺术圈，叫得出名字的艺术家很多，但称得上明星的，比较少。

一定有人会说，艺术又不是娱乐，弄一堆明星出来做什么？

关于这个问题，我有一个不很礼貌的回答：

很多艺术家做的东西，其实没那么了不起，就像很多演员的演技没那么了不起，很多歌手的歌声也没那么了不起，很多谐星的笑话也没那么了不起。

对这些"没那么了不起"的明星，我们愿意买账，多半是因为他们的身上，有吸引我们的魅力，或者是他们的表演，能陪伴我们抵挡生活的乏味。

我对艺术，难免也有这样的期望。作品的魅力普通的话，也许作者比较有魅力也不错。尤其是许多艺术家拿取的实在是非一般的酬劳，是明星级的酬劳。

艺术家自己，倒不一定要有"做明星"的自觉，但是负责栽培艺术家的各类专业人士，也许可以看看娱乐圈的各种案例。

◎原文发表于2008年9月《当代艺术新闻》杂志

画家到底怎么定售价的？

蔡康永

买画的人，听到对方报出画价的时候，难道不会纳闷："这个价钱是哪来的？"应该是没有人好意思直接地大声问出来，但是，心里纳闷一下总可以吧。

不过，就算你有种问出口，多半也是得到一些不痛不痒的回答。画廊的老板们最常用的台词，大概是："今年差不多就是这个价钱了。"或者："这比纽约画廊定的价钱低两成了。"或者微笑不答、默默地移向下一幅画，但心里响起经典的独白："嫌贵你就不要买，自然会有别人来买。"

画廊老板定的价钱，有时候跟这幅画没有那么直接的关系，比方说：这家画廊在业界苦撑前面那十年的成本，这家画廊为了留住红牌画家请他全家去威尼斯旅游的成本、画廊店面的租金、美丽秘书的薪水，反正认真计较起来，画廊确实有很多花费。

> 很多艺术家做的东西，其实没那么了不起，就
> 像很多演员的演技没那么了不起，很多歌手的歌声
> 也没那么了不起，很多谐星的笑话也没那么了不起。

所以，撇开画廊的定价不谈，来研究一下，画家自己是怎么定价钱的好了。

我遇过几位初出校门的艺术家，完全没有名，没得过什么奖，还没被任何画廊签下来，不过作品挺有意思的。他们对自己的画的定价，如果以一百二十厘米见方的布面油画为例，常常会超过十万台币。这个价钱是怎么来的，可以推测一下。

先来假设：他是依照完成这幅画，所花费的时间，定出了超过十万台币的价格。当代艺术不见得在技术上费工，画布上只有几笔刷过，或只打几个洞也是可以的。所以不能只看画布上有多少颜料，应该把画家构思的时间、摸索测试的时间，也都列入工作时间计算。

好吧！我们很慎重地看待这幅画，假设这个新画家，是费时整整一个月，每天八小时工作，完成这幅画的。这么说起来，等于这位画家一个月的收入，大概十万元。刚毕业的人，不是天纵奇才，不是人气冠军，就设定自己月入十万，这样的月收入，打败无数工作十年以上的上班族，打败无数可能伤筋断骨的劳动者，恕我问一句：凭什么？

而如果他没这么慢，如果他一个月，可以完成三幅画的话，那他是设定自己月入三十万了。跟他同时毕业的所有其他科系的同学，绝大部分是月入三万吧！而画画的人可以设定自己毕业第一天，就比大家月入高出十倍？

接下来我换个假设，假设这位新画家，是依据华人画坛天王们，动辄三千万的售价来倒推的好了。恕我直言，没有这种"倒推"的道理。

艺术圈和娱乐圈一样，是"胜者全拿光"的世界。

所以，天王们一幅画卖三千万，没办法"倒推"三百倍，推出你一幅画十万的价格。很遗憾，没有这种事。何况，去艺术大国如日本、印度打听一下，即使已颇有知名度的画坛B咖，一幅画二三十万台币的也非常多。如果被认可程度是"零"的画家，两幅的价钱，就可以买到一幅日本印度已成名画家的画作。这样算下来，台湾刚毕业画家的一幅十万，是否仍能成立呢？

主办画坛新人GEISAI大展的村上隆，曾在展览现场直接要求新人降低任性自定的售价，以促成画作的交易。台湾的画坛师长们，如果一味避开价格不谈，任由新人自定，对他们是好事吗？

◎原文发表于2008年11月《当代艺术新闻》杂志

❶ Frank Kozik（1962—　）美国艺术家。早期为美国摇滚乐坛设计了不少朋克风格的海报。2000年涉足公仔界，其"抽烟兔"在日本创造了一股流行风潮。

❷ Gary Baseman（1960—　），美国玩具大师、艺术家。他的插画充满黑色幽默，喜欢将猫、狗等动物拟人化，创作充满趣味、讽刺和黑暗，游走于孩童的涂鸦文化和成人的纯艺术风格之中。

❸ 季大纯（1968—　），中国油画家。他的画给人一种匪夷所思的观感。

❹ Yayoi Deki（1977—　），日本艺术家。她创作的油画作品洋溢着喜庆气氛，不过她的技巧不是随意地挥洒，而是认真地小心翼翼地用公平无私的美丽细节浸透画面的每个角落。

❺ 尹钟锡（1970—　），韩国艺术家。毕业于韩南大学美术学科，曾获得韩国大田美术优秀奖等多个奖项。

爱漂亮，很重要?

蔡康永

买画的人，是在买"艺术"，还是只是在买"漂亮的东西"?

我身边有些"爱漂亮"的人，他们喜欢自己漂亮，也喜欢被漂亮又特别的东西围绕，随着他们渐渐有钱，并且认识有管道的人后，他们"买漂亮"的范围越来越广。

从台币一万元的东西开始：Kozik① 或Baseman② 设计的公仔、Gucci的墨镜，渐渐往上升级，高第耶的大衣、沛纳海的表，再往上，Fendi的毛皮沙发、鳄鱼皮的铂金包（这时已经可以开始买有名气的画家的画了，有颜色的季大纯③、布满花朵或小人脸的Yayoi Deki④、专画花恤衫摆成动物头的很大幅的尹钟锡⑤，都比Fendi毛皮沙发还便宜一点）。

再往上升级，兰博基尼跑车、台北仁爱路的房子（这时已经可以买大的奈良美智、中型的Damien Hirst了）。

这些"爱漂亮"的买家，买的是艺术吗？呃，我想说他们在买"生活乐趣"、"生活品位"比较准确吧。

所以符合他们口味的艺术品,多半很甜美很漂亮。我在上一段列举的艺术家,都是"赏心悦目"的画家。他们的艺术成就,是另外一件事,但他们的画有非常强的时尚气氛,跟北欧的椅子、意大利的灯都能相映成趣。

这些"爱漂亮"的买家,当然也会带动艺术买卖的走向。这些买家很少走进美术馆或高深莫测的双年展,因为一定又脚酸又头痛,而且很可能"不好玩"。万一"不幸"遇上满嘴"大字眼"的策展人或艺术家,更会昏昏欲睡。最扫兴的是:美术馆和双年展的"东西都没标价",再怎么逛都"买不到东西"。

这些"爱漂亮"的买家,多半没兴趣了解艺术发展的历史,也没耐心坐着看沉闷没啥动静的录像艺术。就像他们爱喝好的葡萄酒,但不想听你分析这种葡萄跟这种土壤的成分。

如果你翻Philip de Pury的拍卖目录,会发现他们最先从2008年开始,把设计师公仔、设计师家具、油画、雕塑和设计师服饰配件,都混在同一场拍卖里卖。

某些拍卖公司一定会觉得这不符合做生意的成本。印刷精美的目录,一页如果刊登的是一幅两百万的油画,同样面积的另一页却用来刊登四只总价才六万的公仔,效益确实差很多。但Philip de Pury公司这样做,是为了明确表示他们"懂"这些爱漂亮、爱乐趣的买家,也"认同"这种买艺术的态度。

我也喜欢"赏心悦目"，我也"爱漂亮"。我只是知道那些不够漂亮但深沉的创作者很寂寞，也很重要。

我当然还是希望永远有同样多数"不爱漂亮"的买家存在。他们会继续被深沉的艺术打动、被挑衅的艺术震撼、被不亮丽但有道理的艺术启发，这样艺术家才不会全部被推向设计师的那一端吧！

我也喜欢"赏心悦目"，我也"爱漂亮"。我只是知道那些不够漂亮但深沉的创作者很寂寞，也很重要。如果他们够深刻、够力量，还是也给他们在艺术市场多留几个位子，让他们也仍能被多一些买家看见吧！

◎原文发表于2009年1月《当代艺术新闻》杂志

初次展览，定价别太高

蔡康永

 Jennifer Bartlett，著名艺术家。

❷ 李石樵（1908—1995），先锋画家。强调严谨的学院式技巧。

❸ 珍妮·萨维尔（Jenny Saville，1970— ），英国现实主义画家。作品尺幅巨大，大多以自己的身体为模特。她从女性的视觉和自己的感受入手，对自己的身体进行不同角度的审视和表现。

便利商店的便当，如果今年的售价定得比去年还要便宜，那么该会卖得比去年更好。日本产的轿车，如果今年的售价比去年还要便宜，也应该会卖得比去年更好。然而，艺术可不能这样卖。一位画家的油画，如果今年的售价定得比去年低，那不但销量不会增加，甚至会搞到再也没人买他的画了。

我最近在看一本书名叫做《一千两百万美金的填充鲨鱼——当代艺术的古怪经济学》（ *The \$12 Million Stuffed Shark*：*The Curious Economics of Contemporary Art*，by Don Thompson）。这书写得极生动、又多内幕，我从亚马逊网络书店买到以后，我朋友再想上网去买，竟然就已经卖到一时断货了。

因为我一直对艺术的定价方式感兴趣，所以我就翻到了本书的相关章节来看。书上说，画廊对艺术的定价，向来是逐年涨价。如果有画家的画价，是糟到要降价求售的，那画廊应该就会结束和这位画家的合作了。（听起来很无情，但画廊的说法是降价会使画廊无法对之前买了画的顾客交代，只好鼓励画家另寻合作的画廊。新接手的画廊，没有必须对老顾客负责的包袱，可以重起炉灶，重新帮这个画家定个合适的价位。）

书上讲这事，倒不是鼓励画廊老板们一味地涨价，反而是提醒众老板，对任何新画家的初次展览，就要把价格定得对，要看得长远，才有逐步调涨的空间，否则这是条不能回头的不归路。一开始画价定得高了，将来可是降不下来的。而老是和画家结束合作，更是有损画廊声誉，浪费画廊投注的心力，伤害顾客的投资，也伤害画家的艺术生命。

书里提到纽约画廊业教父卡斯特里（Casetelli）曾举过一个例子，说艺术家Jennifer Bartlett[1]有一阵子画价被炒起来，她的代理画廊就哄抬价格到每幅十万美金以上。别人就问教父说，那家画廊这样乱搞，结果有伤害到谁吗？教父回答："伤害了所有画家的画价。"

Casetelli教父这话当然有道理。你把没什么了不起的小画家乱炒一通，炒到一个天价，你爽了一时，但你不但损及张大千的画价、损及李石樵[2]的画价，你也损及你自己代理的其他画家的画价。你的生意就只做这一笔，取了卵，也杀了鸡，玩完了。

冠军的画廊高古轩在1999年初次展出Jenny Saville[3]的六张巨幅裸体

油画时，采用了业界称为"不成功便成仁"的定价方式，当时Saville 29岁，Gagosian每幅定价十万美金。幸好全数卖光，但后来代理Saville的萨奇画廊，就规定了这位画家每年巨幅油画不可超过六幅的约束。

这书里讲了很多有趣的案例，绝大部分案例虽然戏剧化，背后都有道理可循，读了可以激发有志于此的人士多一些想法，莫让艺术市场只是一味弥漫脸红脖子粗的抢钱气味。

◎原文发表于2009年4月 《当代艺术新闻》 杂志

> 艺术圈其实比娱乐圈有一个很大的优势，
> 就是比较"无国界"。

画家可以不签画廊吗？

蔡康永

因为艺术创作是很累人的事，所以艺术家自以为是，以为地球是绕着自己而转，不但不是缺点，反而被当成是天经地义，是艺术家茁壮成长的过程中，必须采取的生存基本态度。

这话当然有理，但是，如果这位艺术家是笨蛋、是懒惰虫、是井底之蛙或者是无聊透了的人呢？

谁来告诉他，他有问题，必须改进？

演艺圈的明星，大多也都是以自我为中心的人，这是明星能够绽放光芒的重要原因之一。但是，明星不可能只活在自己的世界里，明星要接受各种人气的考验，连续三部电影不卖座、连续一个月收视率下滑或超过三首歌被指为抄袭，都足以让明星心生警惕、力图振作。

艺术家呢？我问过不少艺术家，他们不看别人的画展，不看外文的艺术杂志（甚至连中文的都不看）。他们如果画出了别人二十年前就画过的想法，也不觉得汗颜，因为他们不知道有人二十年前就画过了。

这些既非天才，又不够用功的艺术家，如果愿意改善他们的处境，不想越降越低的话，谁能给这些自封的国王一些建议呢？

我想到的答案是：一个好的经纪人。一个严父兼慈母，替他打仗也考他武功的经纪人。有些优秀的艺术家，不签画廊，也不签经纪人，这事可以研究一下。华人演艺圈的明星，都签经纪人的吗？嗯，要看情形。最大牌的明星很可能是自己当老板，成立经纪公司来经纪自己，这样他也还是有机会，听到身边专业人士的意见。但再大牌的华人明星，如果想更上层楼，比方说，打进好莱坞，那就还是必须签给能在好莱坞使得上力的经纪人。

至于新人或小牌明星，当然就更需要对的经纪人。和一位错的经纪人合作，或者不肯签给任何经纪人，都是浪费一个演艺人员的大好青春，浪费了三年算运气好了，浪费十年就根本难以翻身。同样的问题，看回艺术圈来，我想问的是：艺术家，真的有花心思在找好的经纪人，找对的经纪人合作吗？

艺术圈其实比娱乐圈有一个很大的优势，就是比较"无国界"。流行歌曲、电视节目，甚至电影，大多时候都仍然有很难跨越的国界限制。比起来，艺术的国界真的淡多了。

我常去逛西方的好画廊的网站，看他们签约的艺术家是哪些国籍，发现常常是七彩纷呈，一家瑞典的画廊，签约的艺术家可以从东南亚的新人，一直排到伊朗的头牌画家！

既然国界已经不是一个限制了，那华人的艺术家，为什么不用些心思，争取能推广自己的经纪人呢？依据我的观察，刚从学校毕业的新人艺术家，在这方面有概念的，少之又少。有些新人签进风格完全不对的画廊，有些新人签给跟自己一样初出茅庐的亲朋好友。难道在学校时，不该就已经开始观察哪些画廊适合自己、哪些画廊擅长经营画家吗？如果是念金融的学生，会没想过哪家银行值得自己毕业后去投效的吗？明明是唱国语歌的新人，会把自己签给一家专出台语唱片的公司吗？

至于已经闯出名号的艺术家，也有既不想签经纪人，也不积极找经纪人的。虽说有画家判断这样客人会更广，东边展一展能有一批客人，西边展一展又有一批客人。但是，你不签给别人三年五年，别人怎么可能用心经营你？有好的展出机会，有好的收藏家询问，画廊当然是优先推荐自己有签约的艺术家的啊，怎么会愿意推广你？

艺术创作很个人，所以艺术家躲在自己的领土里当国王，是很合理的事。但如果这国王不英明，每天只顾照镜开心，那他的小王国可能很快就从地图上消失了。

◎原文发表于2009年6月《当代艺术新闻》杂志

关于我的当代艺术收藏这事儿……

陈冠宇

我常觉得当代艺术的收藏这件事，本身就是个极为深不可测的艺术，它充满了各种不可预知的乐趣与痛苦，它也或多或少地改变你的生活。有人从这事儿里交到许多志同道合的朋友，有人因为这事儿发了大财，更有人因为玩这件事玩上了瘾变成了这行当的从业人员，我就是这么糊里糊涂地收着收着就收成了画廊老板……

每个年代的收藏都有不同的故事，每个人的收藏理由也都不同，收藏家千千百百种，绝不可一概而论。我的收藏从一张三百美元的版画开始，那时我二十七岁，心里想得很单纯，这画儿我喜欢而且挂墙上好看！最近挣扎着想买张五十万美元的油画，心里想的除了好看、喜欢之外，还天天琢磨着这张好看的油画到底能为我带来多少收益，以后如果要变现该卖给谁，这些想法已经让收藏这事儿变得不单纯了，"投资"取代"收藏"，成了我心里最重要的盘算。

> 当代艺术的收藏这件事，本身就是个极为深不可测的艺术，它充满了各种不可预知的乐趣与痛苦，它也或多或少地改变你的生活。

以前到哪里看画买画都被称为Collector，心里也总以为自己是个所谓的"收藏家"，但是自从卖了第一张收藏，尝到了些甜头之后，就不断地以获利作为基本考虑来作买或不买的决策，我自己也开始怀疑这算哪门子的收藏家啊！为了说服自己我是个爱好艺术的收藏家，而不单只是个想获利的艺术品投资人，于是就有那一阵子乱买一通，纯粹以自我喜好来决定购买与否，这大大的不对了，看着其他人的作品纷纷上拍大赚，自己花钱买的艺术家价格却纹丝不动，画廊做完展览把东西卖给我之后就一问三不知，完全搞不清楚这艺术家的现况，虽然那是件当时我喜欢的作品，可是心里的落寞跟对那不负责任的画廊的负面印象却久久无法抹去，这种买法就投资的结果来说，几乎是百发百不中。哈哈！当然那些作品也就愈看愈不喜欢！

于是我的所谓收藏策略又修正了，除了放慢购买脚步之外，我开始过滤画廊，这件事从研究每个画廊的艺术家及展览历史开始，一直到亲访画廊老板，跟画廊老板深谈，了解这画廊的品位与智慧，品位指的通常是对艺术品及艺术家鉴赏的眼光，智慧就是这画廊老板的市场知识和市场推广能力了。经纪人光有品位没有智慧，就算是签到了周杰伦，都可能将这颗钻石一辈子埋没在昏暗的酒吧里驻唱，相反地，光有智慧而没有品位，也顶多只能造就昙花一现的市场明星。这之后的购买法则就简单透了，我只在我认可有品位又有智慧的画廊内买我喜欢而且负担得起的作品，不管艺术家是老美、老英或是老德，也不管媒材是油画、相片或雕塑，只要喜欢且买得起就出手，这个买作品的心法陪我从美洲大陆一路回到亚洲的日本及北京。以结果论，这种买法命中率真高！

　　到现在为止，我还在买作品，也多数顺着这个心法收藏，买到的作品基本上我都喜欢，收藏及购买的乐趣还伴随着我，但是因为买当代艺术这件事花费愈来愈高，耗掉我愈来愈多的钱，我也不想资产缩水，所以这购买心法就成了我的护身符，不管是买韩国，买印度，甚至买中东，都顺着这简单原则出手，跟大家分享啰！

　　　　　　　　　　◎原文发表于2008年4月《当代艺术新闻》杂志

Bubble is Good!

陈冠宇

　　3月份纽约苏富比的中、日、韩当代艺术专拍揭开了2008年亚洲当代艺术市场的序幕，虽然这场拍卖成绩平平，让多数人对今年市场的走向忧心忡忡，但是接下来各式各样的博览会及拍卖的热络，却又让人放心了许多。

　　所有的人在这个时刻都在关注市场，从拍卖会到博览会，艺术圈的参与人群，包括画廊、拍卖公司、策展人、媒体、市场炒家、投机客和所谓收藏家，都在关心作品价格走势，哪个欧洲的基金或基金会又介入了哪个画家，印度尼西亚豪客又看上了谁的作品正大肆收购中，某个艺术家又创下了拍卖的新高价。谈论蔡国强在古根海姆美术馆的展览，谈论中国达达先驱黄永砅在尤伦斯的展览，谈论村上隆在LA MOCA（The Museum of Contemporary Art，Los Angeles，洛杉矶现代美术馆）回顾展的声音几乎全面性地被淹没。艺术媒体愿意花钱派遣记者四处采访拍卖信息，却较少愿意付费让记者赴国外采访一个具有时代意义的展览。

欣赏艺术、买艺术、收藏艺术原本是件高雅的事，而今却成为一个如股市房市一般的大众投机市场，通过大众媒体与社会上各种投资名嘴的鼓吹，投入艺术品收藏或投资的群众数量也开始大量增加，以获利为主要目的的资金开始大量流入艺术市场，推动艺术品价格开始节节升高，这个现象无论在西方或亚洲都是如此，我肯定地说，这是泡沫！

只是泡沫真的不好吗？这答案可以是Yes，也可以是No！20世纪90年代中期，各种网络科技和应用开始大量流行，全球一片dot com热，任何公司只要扯上网络，股价便一飞冲天，任何口才好、学历好的创业人，只要写出一份漂亮的Business Plan便可轻易地从创投业者手中得到数千万美元的投资基金，无数精英分子如投资银行家、高级商业顾问都投入了这股疯狂创业的热潮中，充分的人力、财力、物力的投资终于将网络热推到了最高峰，2000年这个大泡沫正式崩解了！崩解之后呢？当然股价下跌，公司倒闭，从业人员失业，过度投资的设备及资产贱价出售等状况开始陆续发生，以此来看，泡沫造成的是伤害！

但是从另一个角度来看，泡沫让网络公司轻易地以极低的成本，取得了原本这些具有天分的创业家无法取得的资金。有了这些庞大的资金支持，让这些创业家在公司尚未获利之前就有足够的筹码来进行下一阶段策略性的布局，也因此成就了今天的eBay、Yahoo!、新浪、网易等大型企业。泡沫吸引了无数本来非科技相关的社会精英参与了这件事，泡沫破裂后，留下来的精英分子仍持续参与贡献，让网络这个产业的发展更有活力。泡沫让各式各样的光纤、海底线缆被投机的电信业者当理由，向大众大量募集资金并疯狂地铺设，但这些当时的过度投资，却造就了今天宽带网络快速的发展和普及。从这些角度来说，泡沫的贡献绝对无法抹杀。

今天的艺术市场有过多的艺术家、过多的拍卖公司、过多的画廊、过多的投机客、过多的无谓资金，真正热爱艺术的收藏家却还不够。当然在"Bubble is Good！"的立论下，这些过多的资源，对未来整个产业的发展都会有正向的贡献，好的艺术家在资源充沛的环境里，将可更不畏经济压力做自己想做的艺术。好的拍卖公司在业绩大好、现金充足的情况下，将可更快速地扩张市场占有率。好的画廊培养好的艺术家得到市场正面反馈，将有更多资源、提供更多机会给收藏家及具天分的艺术家。好的收藏家有那么多的画可看可买，那么多的活动可参与，一定乐不可支。但是投机的画廊、拍卖行、艺术家也许赚一票就走，现金饱饱地在泡沫破裂后离开这行业，转行炒股炒楼，留下一堆投机买家，抱着一屋子从投机艺术家、投机画廊、投机拍卖行买来的投机筹码，抱怨着崩盘这件事……

◎原文发表于2008年6月《当代艺术新闻》杂志

其实，做一个收藏家，也蛮苦的

陈冠宇

很惭愧，买了十几年的画，经营了近两年的画廊，手中藏有几仓库来自世界各地的当代艺术品，画廊也已经手了数百件作品，自己却从来没有深入地、有系统地去研究所谓的"美术史"或"艺术史"。有的只是因片段的需求，或一时的热情所触碰到的一些信息"点"，这些"点"一直都还没有机会被串成"线"，或构成一个完整的"面"。

一直"听说"收藏这件事必须了解并追循美术史的脉络，所以如果你的收藏锁定印象派，很明确的，你就该有莫奈，该有雷诺阿①，该有凡·高；如果你的收藏主体是中国

①雷诺阿（Pierre Auguste Renoir，1841—1919），法国经典印象派画家。以画人物出名。

当代艺术，那么大腕张晓刚、厦门达达黄永砯，就该在你的库房里被发现；如果你建立的是波普艺术的收藏，安迪·沃霍尔、利希滕斯坦② 等人就绝对该在你的收藏清单中；如果你买录像，从白南准、Matthew Barney③、Bill Viola④ 一路买到Kim Soo Ja⑤ 应该就相去不远了。只是现在这些看来简易的美术史收藏哲学都有极高的价格门槛，对一般人来说，如果这样才是decent的艺术收藏，那收藏这件事对大部分人来说就可以别玩了，因为口袋深度够玩够藏这些作品的人，真的太少太少了……

对一般收藏艺术品的人来说，怎么样的收藏才能match这一群以学术论点来评断你的收藏是否decent的媒体、评论家或美术馆人的观点呢？这些人通常熟读美术史，他们的观点也多少影响了现在正在进行的"未来历史"的面貌，所以各个重要美术馆、双年展和文献展的展览或收藏清单往往是可参考的收藏依据。只是一味追寻历史级的收藏往往需要的是很强的耐心与极深的口袋，多数评论家与策展人的最爱在市场上并没有很强的流通性，也没有过大

② 利希滕斯坦（Roy Lichtenstein，1923—1997），美国波普艺术代表人物。早年为晚期抽象表现派画家，后又改走滑稽画路线。他把一切日常生活中所见的大众化商业艺术肯定为纯艺术品。

③ 马修·巴尼（Matthew Barney，1967— ），美国先锋艺术家、导演。是一位幻想与捏造大师，这在他的混合装置、行为艺术的照片和风格特立的录像作品中都有所体现。

④ 比尔·维奥拉（Bill Viola，1951— ），美国艺术家。是国际公认的视像装置艺术先驱。

⑤ Kim Soo Ja，韩国出生、纽约长大的著名装置艺术家。

❶ Lee Bul（1964— ），韩国艺术家。之前作为一位雕塑艺术家，很喜欢用新材料进行创作，自80年代末，她创作了很多大体量的作品，并伴随着行为艺术。

❷ 田中功起（1975— ），日本艺术家。田中功起对我们日常生活中短暂瞬间显示出了兴趣，在他的装置里也精心地体现了他的这种兴趣。

❸ 孙原（1972— ），中国当代艺术家。

❹ 彭禹（1973— ），中国当代艺术家。孙原、彭禹是当代最重要的艺术家组合之一。

❺ Anish Kapoor，印度裔英籍艺术家。从20世纪70年代开始，Anish Kapoor通过对比例、颜色和虚空概念的探索拓宽了当代雕塑的界限及语言，大型装置"Memory"是Kapoor艺术实践的标志性作品。

❻ 麦克·凯利（Mike Kelly，1954— ），美国艺术家。主要作品形式为雕塑作品与影像作品。

的价格波动，买家入手后通常得作永久收藏的准备，短期欲变现或获利的机会极低，Lee Bul①、田中功起②、孙原③和彭禹④目前都属于这类艺术家。如果要在学术与市场上找到交集，那这作品的价格就绝对无法太friendly，Anish Kapoor⑤、陈箴、Mike Kelly⑥、宫岛达男等艺术家都属此类。历史上已定位的艺术家买不起，后进者的未来又不明确，市场一片闹哄哄的，拍卖价格时高时低，画廊天花乱坠地拼命推出具新鲜感但前途未卜的年轻艺术家，媒体与评论家为求生存用力释放版面及文字给付得起钱的画廊和拍卖公司，真正能过滤艺术优劣的媒体及评论机制已经渐渐减少了，许多美术馆碍于经费筹措不易，也开始进行空间的租赁，所以艺术家在某美术馆展出这件事，也就逐渐变得不都是那么靠谱。买家在这样一个市场环境下，似乎真的只能自求多福了。

　　大部分收藏家都有自己的本业，本业经营占据他们绝大部分时间，能够研读、吸收艺术相关信息的空当也相对有限。通过正确的画廊、顾问或媒体建立有效的信息系统，培养自己独特的眼力，找到自己内心深处真正的艺术喜好方向，轻松地买，别患得患失，才能让收藏艺术这件事变得很愉悦。即使市场再波动，成交再萎缩，你还是能很开心地逛画廊、逛美术馆，出手买自己喜欢的画。毕竟对真正热爱艺术的收藏家来说，不管作品涨或跌，不管你买的艺术家是不是在美术史上被定位，都比不上买到一件让自己感动的作品让人开心……

◎原文发表于2008年8月《当代艺术新闻》杂志

When I Fall in Love…

陈冠宇

股票投资人常说："Don't fall in love with one stock!"意思就是说，千万别和任何一只股票或一个公司谈恋爱。产业景气变化无常，公司的营运策略、执行力及社会环境的系统风险都影响一个公司的兴衰，也影响该公司股价的涨跌。投资一只股票，除了得时时关心该公司所处产业的竞争环境之外，公司本身每月、每季、每年的运营绩效也必须被仔细地检验，这些条件一旦产生变化，可能就是退场的时候了。绝大部分股票投资人对于他所投资的公司都没有感情，不管这公司制造半导体、生产汽车、挖金挖煤、造桥铺路，只要股价过高或基本面产生变化，冷静或冷血的投资人绝对毫不犹豫地杀出，以确保自身所拥有资产的价值。不和任何一只股票谈恋爱这件事，对于受过完整金融训练并有丰富市场经验的投资人或基金经理其实并不难。

最近很多人常常拿股票来比喻艺术投资，动辄觉得高点到来，不断地计算价量关系及市场资金供给状况，成天比较着艺术投资与股票投资的年收益率，这些说法及判断或许都没有错，自己当了十年的证券分析师及投资经理，说说这些大部分人一知半解的数字及线图唬唬人也并不太难，但是一直以来心里最大的疑惑和最无法克服的障碍就是怎么老是对一个由理性判断该要跌价的艺术家或一张画爱不释手呢？如果不应该和任何一只股票谈恋爱，那是不是我们也不该跟任何一个艺术家或一件作品谈恋爱呢？

收藏家每件作品的取得都有一个故事，而且多数像是让人怦然心动又得以津津乐道的爱情故事，不论是高价追来，随缘碰上，或是经人推荐仔细评估后买进，这些购买之后收藏的过程，常常都很动人。卖掉一件作品对很多收藏家来说，其实就等于是卖掉了一段回忆，卖掉了一段恋爱！恋爱初期多是甜美的，你怎么看对方长相都好看，你怎么听对方说话都好听，再蠢的笑话从对方口中说出也变得隽永十足，你用尽所有方法非将这个人追到手不可，很多人在拍卖会上不计代价地竞拍一件自己喜欢的作品就是这样的心态。这件作品到手后，有人成天挂在办公室中逢人就炫耀；有人挂在家中天天私下端详，暗暗地享受；有人得手后就将其锁入库房永远不见天日。爱情随着日子的过去总会变质，美人会变老，激情会变平淡，唯有真正的相知相惜才能恒久。

与艺术家和艺术品的相知相惜其实是艺术投资的最大心理障碍。艺术品的短期市场价格与股票一样取决于公众心理，技术面及信息面的判断非常重要，大家都卖就跌，大家都买就涨，短线投资是不能带有任何情感的。但是艺术品的长期价值却存在于艺术家的灵魂、艺术家的智慧、艺术家的奋斗精神与艺术家的艺术特质里，这时对应股市，谈的就是基本面及经营团队了。如果你是与一个有灵魂、有智慧、有奋斗精神，又具艺术特质的艺术家或作品恋爱，就好像追求了个心地很美又能相知相惜的对象回家，就算对方变老了，变丑了，你还是一样爱她，这应该是挺美的一件事吧？这样的相知相惜又怎么不是艺术收藏的最高境界呢？

◎原文发表于2008年10月《当代艺术新闻》杂志

> 再好的作品，再怎么已经为美术史所定位的艺术家，在市场资金急速退潮的状况下，都面临困境。

涨时重量，跌时重质

陈冠宇

全球市场在2007年美国发生次级房贷事件后，一波一波地往下修正，从股市，房市，汇市，金属、农产、能源商品等原物料到艺术品，从美、日、欧等先进国家，到各新兴市场，无一幸免于难。一直到今天，仍然没有人可以肯定地说出这波修正的底部在哪里？修正的时间会有多长？我们从新闻中看到美国投资大师巴菲特从10月起开始，大幅加码高盛证券及能源类股，并对市场公开喊话，建议投资人趁此波下跌买进超跌股票，将所有现金投入股市；同一时间，华尔街巨鳄索罗斯却也不断地对外发表看坏整体经济形势，并预期大萧条时代即将来临的言论。这样两极的市场观点着实让一般的投资者摸不着头绪。

处于如此风声鹤唳的经济环境中，艺术品市场的交易自然相对冷淡。华人区真正的Serious Collectors本来就少，市场气氛和投资客（Investors）/投机客（Speculators）的热钱和热情堆出了过去几年的大行情。现在市场流动资金的大量缩减，自然对艺术品的交易产生负面影响，再好的作品，再怎么已经为美术史所定位的艺术家，在市场资金急速退潮的状况下，都面临与和记黄埔、汇丰银行、台积电、中国移动等超级蓝筹股股价一样的困境，必须往下修正。这是比例问题！真正的Serious Collectors心中都会有他们购买艺术品预算占他们的总资产的比例，当这些收藏家的资产水位因房市股市或其他所有形式资产价格下跌而大幅缩水之后，他们投注于艺术品的绝对金额自然跟着大幅缩水，加上投资客/投机客也因市场无法预见实时的回报而缩手，整体资金动能下滑，供给面却因为变现压力和由过去几年大行情所产生的巨额价差所诱出的卖压不减反增。经济学的简单供给及需求关系影响价格的理论告诉我们：供过于求必然引发价格下跌。

那么艺术收藏者怎么顺应当前困境呢？第一个大原则就是维持自身的现金流动能力。艺术品的流动性差，变现速度慢，维持一个较低的艺术品与总资产比例相对安全，收藏家本身的事业及生活所需毕竟为first priority。第二点，在所有的资产取得的过程中都要尽量降低融资的杠杆比例，没有融资就没有断头压力，对于看不清晰的经济前景，杠杆运用过当的风险是相对高的。第三点，在个人合适的资产配置比例下，以个人喜好及专业分析为后盾，买进质优的艺术品，此时的市场站在买方，议价空间较过去变大了许多，长期资金进场的风险已较过去为小。

欣赏艺术及收藏投资，本来除了投资之外，对于艺术爱好者来说，就有一种无法以金钱衡量的心理。逢低买进是所有专家该说的话，对真正掏钱出来的买家来说，每个人都有自己遇到的实际困境及心理障碍，到底有没有能力在低点买，只有自己知道；是否能买到对的作品，没有人能够保证。如果抱持着投资的心，此时要做的是大量的功课，选择超跌的优质作品。对于很多事业遇到困境、公司股价大跌的收藏家来说，这并非是他们时间上分配的要务，真要投资，委托专业顾问协助可能是更好的选择。但是对真正的艺术爱好者，欣赏艺术的心理乐趣却不是不景气可以剥夺的，以逛美术馆、逛画廊、看展览来调剂紧绷的工作情绪，绝对是一剂低成本的良药。

◎原文发表于2008年12月《当代艺术新闻》杂志

悲观VS.贪婪

陈冠宇

从雷曼兄弟倒闭之后，全球金融市场大幅向下修正，各国股市房市成交量和成交价都急遽缩水，从平民百姓到富商巨贾，几乎无一幸免于难，艺术市场也跟着进入了寒冬期。2008年全球各地的秋拍几乎没有一家交出好成绩，这和整体经济及金融环境的变化其实是相呼应的。

投身金融产业十余年，各种投资工具都略有涉猎，对于景气循环这件事其实已经见怪不怪了，任何投资工具、任何商品一定都有涨有跌，艺术品市场也是一样。讲投资，最常听到的一句话就是逢低买进、逢高卖出！这句话大概所有人都看过听过不下数百遍了，只是碰到该执行的时候总是举棋不定，认为高还会再高，低还会更低。判断最高点及最低点本来就是件极度困难的事，即使正确地在低点入场，这个底部如果横向整理时间过长，一样会对投资人造成流动性的困扰或风险。

各种商品的景气循环转折都有其专业的判断之道，经济学的供需理论基本上是所有预测的中心准则，但是影响供给及需求的因素何其多，即使再专业的分析师，再资深的业内人士，也常常犯错。但是，不管被投资的标的为何，有一个心理学上共同的判断标准，就是当所有人都看多、所有人都贪婪的时候，理论上就是卖出的时机，这就是大家都知道的华尔街擦鞋童理论。相反的，当所有人都悲观、所有人都看空的时候，就该开始买进，开始贪婪了。

问题是当这个该贪婪的讯号出现时，该怎么个买法才不会让自己的投资身陷泥沼，被现金积压时间过长所累呢？分批分价买进，应该是一个最普遍被精明的基金经理人或操盘手所应用的方式，被投资标的与现金的适当比例分配为最重要的思考。对于艺术品来说，由于其流动性及变现性都劣于大多数可投资商品，因此艺术品与现金的比例控制更显重要。

从亚洲当代艺术市场的龙头中国大陆来看，整个市场的交易近几个月呈现的是近乎静止状态，不论年轻小辈或一件作品就拍上百万美元的大艺术家，成交状况都极其不理想，当代艺术的买家几乎全面收手。大陆的当代艺术市场从1989年一直到2000年几乎都处于谷底的萌芽阶段，2000年之后尤其是2004年到2007这几年间狂飙更是让全世界都不能不注意它的存在，这波随着金融海啸的向下修正让所有的艺术从业人员及投资人都看傻了眼。不像中国股市与房市从20世纪90年代初期迄今已经经历了两到三波的循环，当代艺术市场自崛起后这次是第一回的大回档，因此不管是行业内的人、投资人或收藏家几乎都无法因应这波狂潮巨浪。

画廊停止营业或裁员减薪，艺术家工作室退租，私募艺术基金面临赎回，博览会招商不顺等小道消息一连串的爆出。买画的人不再有热情，卖画的人不再投资，艺术家的工作室作品愈堆愈多，所有最糟糕的状况几乎都在这短短半年内发生了，悲观的气氛充斥着整个当代艺术圈。我认为该是贪婪的时候了！

亚洲当代艺术的整合概念这几年在拍卖行、媒体及画廊的推波助澜下风起云涌，日本、韩国、印度、东南亚等国家或地区的当代艺术顺着此势一一崛起，但是我个人认为这一切如果没有中国大陆这个巨大的火车头引领，绝对都没有可能成气候。中国这个庞大的经济体引领周边的国家及地区的发展起伏已是既成事实，当代艺术市场也是如此。这波修正下来，中国当代艺术市场表现特别疲弱。在此所有人对中国当代艺术都悲观，都想低价出清存货，都不愿意再投入的时刻，精明的收藏家应该更积极地搜寻好艺术家的好作品，买进过去几年因价格过高或涨幅过大而买不下手的精品，等待黎明的来临。但是切记，底部整理的时间长度未知，现金部位的控管仍然是第一优先。我相信下一波的反弹来临时，中国当代的势头依然会最强最猛。错过上一波机会的投资人或收藏家们，机会来了！

◎原文发表于2009年3月《当代艺术新闻》杂志

樱花盛开的春季?

陈冠宇

　　2009年，春季亚洲的各个当代艺术活动从香港苏富比拍卖会及东京博览会开始将一连串地展开。随着北京CIGE博览会、Art Beijing博览会的落幕，整个春季当代艺术交易的第一个高峰落在5月13日至17日的ART HK09。同一周在香港，有六个来自东京、首尔及台北、雅加达拍卖公司所举行的六场拍卖会，以及一周以后的佳士得亚洲当代艺术大拍。

　　早在2008年12月，各个拍卖公司就已开始如火如荼地为今年春天的拍卖会进行征件，很明显地，不管是韩国、日本、新加坡，还有香港、台湾等地的拍卖行都大举加大日本当代艺术的比重，降低原来中国当代艺术的件数。过去几年炙手可热的中国当代艺术顿时成了烫手山芋，各拍卖行除了大艺术家、精品，或夹带送拍的作品不得不收外，对于征求中国当代艺术作品的热忱简直低到了极点，就算勉强收了件也得拼命地将底价往下压，以免流拍。过去几年那些大量生产而且疯狂涨价的中国

❶ 舟越桂（1951— ），日本雕塑家。作品既有古埃及雕塑所追求的永恒风仪，又有鲜明的个性。

❷ 横尾忠则（1936— ），日本插画艺术家。他的设计从某种程度上来说是日本文化的一面镜子。

❸ 青木陵子（1973— ），日本艺术家。擅长将乏味的图像变成有趣的视觉作品。

❹ 町田久美（1970— ），日本画家。具有很强的现代风格，年纪轻轻，作品已被纽约现代美术馆收藏。

❺ 池田光弘（1978— ），日本艺术家。

❻ 伊藤存（1971— ），日本艺术家。主要创作方式为布面刺绣。

❼ 束芋，日本艺术家。以独特的世界观表现现代日本社会的装置艺术而享誉全球。

❽ 大野智史，日本当代艺术家。

艺术家终于在市场上尝到了苦果（虽然他们许多人都已口袋饱饱，不是太在乎现在是不是还有人想买他们的作品），作品完全没有买盘，失去流通性；沉潜多年的日本当代艺术仗着相对低价、市场新鲜度高的优势，在拍卖公司、画廊及媒体的推波助澜之下，俨然成为下一代市场新宠。

只是这样一个所有人一味追逐日本艺术的形式能持续多久呢？观察各个拍卖公司的征件状况便能了解一二。我的观察，整个亚洲拍卖市场对于日本当代艺术的研究及认知目前并不深入，除了草间弥生、村上隆、奈良美智、杉本博司几个国际级的艺术家及数字拍卖行的年轻艺术家常客之外，日本本地几位被视为具有重要分量的宫岛达男、舟越桂①、横尾忠则②等人，或年轻一辈较受到学术机构注目的艺术家如青木陵子③、町田久美④、池田光弘⑤、伊藤存⑥、束芋⑦、大野智史⑧等都尚未被区域内其他的画廊、拍卖行或媒体所介绍。不论是初级的画廊市场或二级的拍卖市场，目前所追逐的名单都无法令人看出这个沉睡多年的艺术大

> 任何人出手买艺术品不管是出于投资或喜好都得尽量慎重，毕竟大部分人筹码都有限。

国当代市场的真正面貌。收藏家本来就很难有空深入研究一个异国的市场，画廊及拍卖公司的专家学习也需要时间，如果交易市场在这一切都尚未完成准备前就价量齐扬式地起飞，收藏家很有可能将大量买到未来日本本地收藏家或美术馆都不埋单的艺术垃圾或可爱装饰品。

任何人出手买艺术品不管是出于投资或喜好都得尽量慎重，毕竟大部分的人筹码都有限。中国当代在经过这一大波的修正，艺术家洗牌后，市场也将进入下一个阶段。华人对于华人艺术的了解毕竟最深，市场价格下修，优质艺术家作品的买进门槛也相对变低。我们常说危机便是转机，趁危机入市本是买到最划算作品的不二心法，此时选择我们都已有多年涉猎，已有长期研究，价格又相对便宜的优质中国当代艺术作品购入收藏，胜算应该极高。至于日本当代艺术，未来一样也有市场爆发力，毕竟这种艺术已深入企业、深入个人、深入生活，作为一个经济大国，其当代艺术市场不可能永远低迷。只是任何想从这个市场炼金的人，不管是画廊、收藏家或投资客，所需的工具及知识得更充分，而不是只有一窝蜂地追逐市场热潮，毕竟机会永远只给准备好的人。

◎原文发表于2009年5月《当代艺术新闻》杂志

附 录 > 收入本书提及的大部分艺术家简介及其画
作，按出场顺序排列。

顾福生（1935— ）

知名油画家。除油画外，亦有版画、彩墨等作品。

张大千（1899—1983）

中国画家。擅长水墨画，为中国近代国画的代表
人物。

傅抱石（1904—1965）

中国画家，"新山水画"派代表人物。善用浓
墨、渲染等法，把水、墨、彩融为一体，达到蓊
郁淋漓、气势磅礴的效果。

张晓刚（1958— ）

"中国当代画坛F4"之一。著名作品是以"文革"时期为背景的肖像画系列。

赵能智（1968— ）

中国当代油画家。著名作品为画有迷幻鬼魅般人脸的"表情"系列。

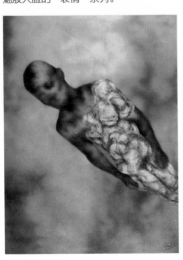

常玉（1900—1966）

中国现代画家。曾居住法国八年，作品擅长描绘线条并善用留白，常以人体、动物、盆景为题材。

安迪·沃霍尔（Andy Warhol，
1928—1987）

美国当代艺术家。被称为波普艺术
（popular art）教父，以一系列名人
肖像画为代表作。

蔡国强（1957—　）

当代艺术家。20世纪80年代中期开始
使用火药创作作品，他的艺术创作对
西方艺术界产生了巨大冲击力，西方
媒体称之为"蔡国强旋风"。

毕加索（Pablo Picasso，
1881—1973）

西班牙画家、雕塑家。晚期
开创立体派画风，是20世纪
画坛的一代宗师。

庞熏琹（1906—1985）

中国艺术家。留法习画归国后投入美术教学，擅长油画，作品富有中国传统文化特色。

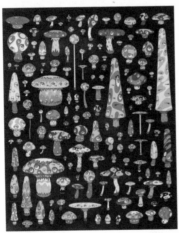

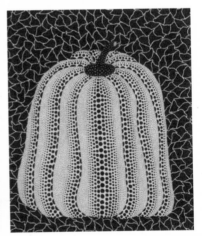

村上隆（1962—　）

日本当代艺术家。常以浮世绘、动漫为题材，为Louis Vuitton设计包包而知名度大开，目前经营艺术经纪公司Kaikai Kiki。

草间弥生（1929—　）

日本当代艺术家。作品类型包括绘画、雕塑、装置艺术，重复的圆点图案为其著名创作特色。

莫奈 （Claude Monet，1840—1926）

法国画家，印象派代表人物和创始人之一。
莫奈擅长光与影的实验与表现技法。

米开朗琪罗（Michelangelo Buonarroti，
1475—1564）

意大利文艺复兴时期伟大的绘画家、雕
塑家、建筑师和诗人，文艺复兴时期雕
塑艺术最高峰的代表。

凡·高（Vincent van Gogh，
1853—1890）

荷兰后印象派画家。他是表现主
义的先驱，并深深影响了20世纪
艺术，尤其是野兽派与德国表现
主义。

巴斯奇亚（Jean-Michel Basquiat，1960—1988）

美国艺术家。以街头涂鸦画家崛起，作品常以城市、死亡、黑人为创作主体。

高更（Paul Gauguin，1848—1903）

法国后印象派画家、雕塑家、陶艺家及版画家。他的画作充满大胆的色彩，在技法上采用色彩平涂，注重和谐而不强调对比。

班克斯（Banksy，1974— ）

英国街头艺术家。作品为反战题材，极尽嘲讽之能事。他的画板不拘一格，可以是街道角落的墙壁，可以是汽车车身、公园的长凳，还可以是动物的身体。

宫岛达男（1957— ）

日本当代艺术家。作品主要为公共艺术，象征生命流动的电子计数器为其重要创作元素。

赵无极（1921— ）

中国当代油画家。留学法国，作品主要是以大自然为题的抽象画。

奈良美智（1959— ）

日本当代艺术家。笔下的大头斜眼娃娃是其作品中的招牌形象。

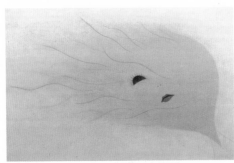

川岛秀明（1969—　）

日本当代艺术家。线条细致、
大眼长发的女性表情头像为其
作品的主要视觉特色。

法尔哈德·莫西里（Farhad
Moshiri，1963—　）

伊朗画家、混合媒体艺术家。
他的艺术创作在开发波普艺术
的混合形式上具有独创性，主
题涉及广泛。

白南准（NamJune Paik，
1932—2006）

美籍韩裔影像艺术家。他的作
品将艺术、媒体、技术、流
行文化和先锋派艺术结合在一
起，极具特色。

喻红（1966— ）

中国艺术家。作品及创作风格均从女性角度出发，灵感取材自个人体会及周遭人物的生活。

张洹（1965— ）

荒木经惟（1940— ）

中国行为艺术家。作品包括雕塑、装置艺术等。

日本摄影艺术家，作品多以城市与女性身体为题材。

刘野（1964— ）

中国著名艺术家，作品多为脸型
圆润的女人、女孩，画风明亮，
富有情趣。

岳敏君（1962— ）

"中国当代画坛F4"之一。招牌
作品形象为大笑的自画像脸孔。

李可染（1907—1989）

中国现代水墨画家，以山水画闻名。

刘丹（1953— ）

中国当代水墨画家。自从1983年以来，在美国各地举办多项个展及参加具有重要影响的展事。出版画集有《刘丹水墨长卷》、《透明的黑诗》、《静止的表情》等。

欧阳春（1974— ）

中国当代艺术家。作品色彩鲜艳，带有漫画涂鸦风格。

池龙虎（1978— ）

韩国当代艺术家。创作风格大胆，擅于利用日常所见的人、事和物来创作。数年前开始利用旧轮胎进行雕塑创作，以动物作为主角，其创新而独特的风格引人入胜。

贾斯珀·约翰（Jasper Johns，1930— ）

美国当代画家。利用日常物品入画，包括国旗、数字、标靶等，亦为波普艺术的重要人物。

辛迪·雪曼（Cindy Sherman，1954— ）

美国摄影艺术家。在成名系列作品"无题电影剧照"（Complete Untitled Film Stills）中扮成各种人物自拍，作品被认为有强烈的女性主义。

杉本博司（1948— ）

日本摄影艺术家，也被称为哲学摄影家。代表系列作品《博物馆》、《剧院》、《海景》分别表述过去、片刻与永恒。

曾梵志（1964— ）

中国当代油画家。代表作
品为反映现代人冷漠态度
的"面具"系列。

杰克森·波洛克（Jackson
Pollock，1912—1956）

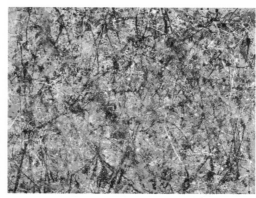

美国抽象派画家。创作特
色是直接利用画笔将颜料
随意滴洒在画布上，不具
任何逻辑与线条。

Kaws（1974— ）

美国涂鸦艺术家、潮流玩具大师。
Kaws与一般人在墙壁、地铁、火车
上涂鸦不同，他在广告画或海报上加
上自己著名的涂鸦图案，被称为"涂
鸦怪盗"。

杰夫·昆斯（Jeff Koons，1955—　）

美国当代艺术家。作品特色为色彩艳丽的公共艺术，将花木制造为巨型梗犬的雕塑为其重要代表作。

齐白石（1864—1957）

中国画家和书法篆刻家。其画、印、书、诗，人称四绝。

伦勃朗（Rembrandt van Rijn，1606—1669）

荷兰画家。其画作题材广泛，擅长肖像画、风景画、风俗画、宗教画、历史画等。

徐冰（1955— ）

中国当代艺术家。以中国文字为创作基础，代表作为《天书》、《地书》。他创造的《新英文书法》，更将英文字母转化为汉字笔画，并获得有"天才奖"之称的美国麦克阿瑟奖（MacArthur Fellows）。

陈丹青（1953— ）

中国著名画家、文艺评论家。代表作为《西藏组画》等。

克洛斯（Chuck Close，1940— ）

美国画家。以鲜艳的绘画结构和生动的画法为特征。

刘小东（1963— ）

严培明（1960— ）

中国当代艺术家。主要创作写实派的油
画，代表作为《 三峡新移民 》。

华裔旅法画家。作品以巨幅黑白肖像为主。

名和晃平（1975— ）

日本当代艺术家，京
都大学艺术博士。最
著名的作品是以玻璃
珠包覆物体的Pixcell
系列。

林明弘（1964— ）

当代艺术家。将台湾民间艳俗花布图案放大，使用乳胶漆涂绘于展出空间的墙面或地面，成为他的独特风格。

王广义（1957— ）

"中国当代画坛F4"之一。将"文革"宣传画加入商业视觉元素的"大批判"系列为其代表作。

方力钧（1963— ）

"中国当代画坛F4"之一。笔下的"光头"形象为其著名特色，作品表达个人隐藏在集体生活下的迷惘。

塞·托姆布雷（Cy Twombly，1928—2011）

美国当代抽象主义大师。作品以抽象派印象主义闻名于世，并以丰富的线条以及涂鸦结合字母和单词著称。

于彭（1955— ）

当代艺术家。涉及领域包括绘画、雕塑、木刻等。

皮耶罗·曼佐尼（Piero Manzoni，1933—1963）

意大利艺术家。他的大便罐头被当成顶级艺术品收藏在纽约现代艺术馆。

莫迪利阿尼（Amedeo Modigliani，1884—1920）

意大利杰出的绘画大师，享誉世界的艺术天才。

叶永青（1958—　）

中国当代艺术家。擅长油画、版画、漆画。

郭伟（1960—　）

中国当代艺术家。郭伟的作品表达的是在
"熟悉的生活风俗被限定在一种既运动而又
几乎停滞的凝视之中"的意念。

让·谷克多（Jean Cocteau，1889—1963）

法国导演，先锋派最成功也最有影响力的影
人，同时是颇有成就的诗人、小说家、画
家、演员和编剧。

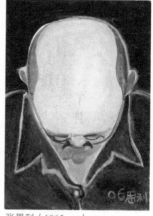

苏丁（Chaim Soutine, 1894—1943）

张恩利（1965— ）

俄裔旅法画家。画风粗犷、夸张。

中国当代艺术家。是世界顶级画廊Hauser&Wirth签约的第一位中国艺术家。

李山（1944— ）

中国当代艺术家。著名油画作品是以毛泽东和莲花为主要图像的"胭脂"系列。

Mr.（1969—　）

日本当代艺术家。主要创作动漫造型人物，也从事行为艺术表演。

青岛千穗（1974—　）

日本当代艺术家。目前属于村上隆旗下，专精计算机绘图创作，作品经常混搭现代感与日式传统文化元素。

权奇秀（1972—　）

韩国当代艺术家。代表图像为简单黑色线条构成的微笑脸孔"咚古力"（Dongguri）。

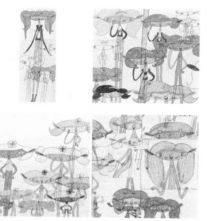

三宅信太郎（1970— ）

日本当代艺术家。夸张的漫画人物比例、朴实的手绘风格为其作品特色，代表图像为大头女孩"甜姐儿"。

缪晓春（1964— ）

中国当代艺术家。以利用计算机绘图与多媒体技术进行创作而闻名。

张鹏（1981— ）

中国艺术家。张鹏的影像技术性很强，很多地方使用了电脑图片修改技术，但他的照片使人忘掉了他的技术语言，而是被画面吸引。

李暐（1970— ）

中国行为艺术家。2006年被美国Getty评为31位全球最有创意的摄影师。

李博（1982— ）

中国艺术家。擅长将绳子作为媒材进行创作。

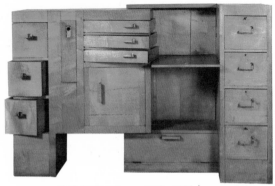

格雷（Eileen Gray，1878—1976 ）

爱尔兰裔女性设计师兼建筑师。

马克·纽森（Marc Newson，1963— ）

澳大利亚设计师。作品涵盖家具、室内设计、客机座舱等，圆滑线条与鲜艳色彩是其著名的创作特色。

杜尚（Marcel Duchamp，1887—1968）

法国艺术家。知名创作是在"蒙娜丽莎"脸上加胡须。1917年，展出作品名为《喷泉》的小便器，被视为现代艺术的里程碑。

朗·阿列德（Ron Arad，1951— ）

以色列设计师。喜欢尝试不同材质的运用，家具作品重视线条美感。

夏加尔（Marc Chagall，1887—1985）

俄国画家。夏加尔以少年时期故乡的风物为创作源泉，色彩明亮而华丽；以"爱"为主，常在作品中抒发出对妻子贝拉的爱意；想象力丰富，充满幻想。

尹齐（1962— ）

中国油画家。其主要个展有《浮表的绘画》（法国，2002）、《动与物的标本》（北京，2003）及2004年在法国、西班牙等国的展览。在第三届中国油画展中，以"室内001号"获中国油画艺术奖。

拉比克·肖（Raqib Shaw）

印度著名画家。

侯俊明（1963— ）

当代艺术家。以装置、表演艺
术、大型木版画为主要表现形
式。擅长私密且具仪式特质的前
卫创作。

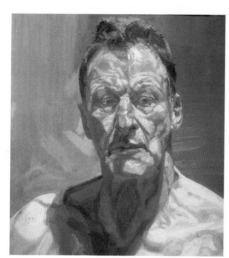

卢西恩·弗洛伊德（Lucian Freud，1922—2011）

英国画家。以油画艺术饮誉画坛，被誉为写实绘
画领域的杰出代表。

弗朗西斯·培根（Francis Bacon，1909—1992）

英国画家，擅用多变的技法以有力的笔触表现人
物形象的孤独、野蛮、恐怖、愤怒和兴奋。

季大纯（1968— ）

中国油画家。他的画给人一种匪夷所思的观感。

Gary Baseman
（1960— ）

美国玩具大师、艺术家。他的插画充满黑色幽默，喜欢将猫、狗等动物拟人化，创作充满趣味、讽刺和黑暗，游走于孩童的涂鸦文化和成人的纯艺术风格之中。

Yayoi Deki
（1977— ）

日本艺术家。她创作的油画作品洋溢着喜庆气氛，不过她的技巧不是随意地挥洒，而是认真地小心翼翼地用公平无私的美丽细节浸透画面的每个角落。

Frank Kozik（1962— ）

美国艺术家。出生于西班牙，早期为美国摇滚乐坛设计了不少朋克风格的海报。2000年涉足公仔界，其"抽烟兔"在日本创造了一股流行风潮。

尹钟锡（1970— ）

韩国艺术家。毕业于韩南大学美术学科，曾获得韩国大田美术优秀奖等多个奖项。

李石樵（1908—1995）

先锋画家。强调严谨的学院式技巧。

珍妮·萨维尔（Jenny Saville，1970— ）

英国现实主义画家。作品尺幅巨大，大多以自己的身体为模特。她从女性的视觉和自己的感受入手，对自己的身体进行不同角度的审视和表现。

利希滕斯坦（Roy Lichtenstein，1923—1997）

美国波普艺术代表人物。早年为晚期抽象表现派画家，后又改走滑稽画路线。他把一切日常生活中所见的大众化商业艺术肯定为纯艺术品。

雷诺阿（Pierre Auguste Renoir，1841—1919）

法国经典印象派画家。以画人物出名。

马修·巴尼（Matthew Barney，1967— ）

美国先锋艺术家、导演。是一位幻想与捏造大师，这在他的混合装置、行为艺术的照片和风格特立的录像作品中都有所体现。

Anish Kapoor（1954— ）

印度裔英籍艺术家。大型装置"Memory"是Kapoor艺术实践的标志性作品。

舟越桂（1951— ）

日本雕塑家。作品既有古埃及雕塑所追求的永恒风仪，又有鲜明的个性。

**青木陵子
（1973— ）**

日本艺术家。擅长将乏味的图像变成有趣的视觉作品。

**横尾忠则
（1936— ）**

日本插画艺术家。他的设计从某种程度上来说是日本文化的一面镜子。

池田光弘（1978—　）

日本艺术家。

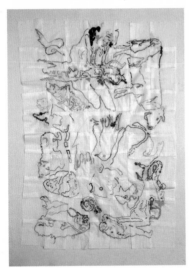

伊藤存（1971—　）

日本艺术家。主要创作方式为布面刺绣。

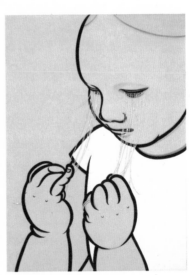

町田久美（1970—　）

日本画家。具有很强的现代风格，年纪轻轻，作品已被纽约现代美术馆收藏。

感谢索卡画廊、诚品画廊、翦淞阁等。